刊行によせて

近畿Live Endoscopy 2017-2018［DVD付］をお届けする。[illegible]開催した第13回及び第14回近畿内視鏡研究会ライブセミナー / Kinki Live Endoscopy（KLE）の模様を編集したDVDである。幹事が会場側の司会と病院側Facultyを交互に務めるため2年分をまとめて編集する事にしている。本来であれば今年2020年3月21日に開催予定の第16回ライブセミナー / KLE 2020に合わせて上梓するはずであった。それが，COVID-19のpandemicという緊急事態に直面し，ライブは1年後に延期，本DVDの上梓も遅れることになった。

KLEでは消化管の腫瘍性疾患を中心に関連領域の最新の診断・治療手技も供覧する事を目指している。2017年は直腸のper anal endoscopic myectomy（PAEM）を，2018年には超拡大内視鏡Endocytoを用いたエンドサイト診断を供覧した。従来の診断・治療も随所に刷新され，様々な新たな試み・知見が提示されたので確認して頂きたい。一方，消化管の腫瘍性疾患を中心にしている以上ESDが主とならざるを得ず，関連領域についてはモーニングセミナーおよびランチョンセミナーで補う事を心がけた。本DVDには収録されていないので以下に演題のみ紹介する。

「ESDトレーニングにおけるムコアップの有用性とESDの新たな展開」森田圭紀，「高周波手術装置の基礎と使い分け方 ― ICCからVIO，そしてVIO3まで ― 」豊永高史，「温故知新　早期胃癌に対する内視鏡治療の進歩 ― EMRからESDそして ― 」田邊聡先生，以上KLE 2017。「早期胃癌ESD困難例　よもやま話」町田浩久，「抗血栓薬服用患者に対する内視鏡診療におけるリスクマネージメント」梅垣英次，「ESD手技・デバイスの客観的評価 ― 臨床研究のすすめ」上堂文也，以上KLE 2018。

KLE 2020をWeb配信等で実施する事なども検討したが，内視鏡室に多施設・多職種の人員が集う事自体が感染拡大のリスクとなり得る。延期開催を予定した2021年3月にこの状況が終息している保証もない。第16回の当研究会ライブセミナーが開催できる平穏な世の中に戻り，3冊目の本書を上梓できる日が少しでも早く訪れることを祈念している。

2020年4月
緊急事態宣言発令中の神戸にて
豊永 高史

DEMONSTRATORS

小山 恒男　佐久医療センター内視鏡内科
町田 浩久　まちだ胃腸病院
滝本 見吾　京都医療センター消化器内科
上堂 文也　大阪国際がんセンター消化管内科
角嶋 直美　静岡県立静岡がんセンター内視鏡科
豊永 高史　神戸大学医学部附属病院光学医療診療部
滝原 浩守　岸和田徳洲会病院消化器内科
前田 有紀　仙台厚生病院消化器内科
梅垣 英次　神戸大学医学部消化器内科
道田 知樹　帝京大学ちば総合医療センター第三内科
平澤　 大　仙台厚生病院消化器内科
森田 圭紀　神戸大学医学部消化器内科
竹内 洋司　大阪国際がんセンター消化管内科
山本 克己　JCHO 大阪病院消化器内科
林　 武雅　昭和大学横浜市北部病院消化器センター
赤松 拓司　日本赤十字社和歌山医療センター消化管内科

（出演順，所属はライブ当時）

●COLUMN●

吉原 友篤　岸和田徳洲会病院消化器内科

●EDITOR●

近畿内視鏡治療研究会

●EDITORIAL CHIEF●

豊永 高史　神戸大学医学部附属病院光学医療診療部

Disc 1 Kinki Live Endoscopy 2017

CONTENTS

Disc 2 Kinki Live Endoscopy 2018

Kinki Live Endoscopy

2017

Superficial esophageal cancer

0-IIc, 25mm, Mt, Rt

Demonstrator— Dr. 小山恒男

白色光像

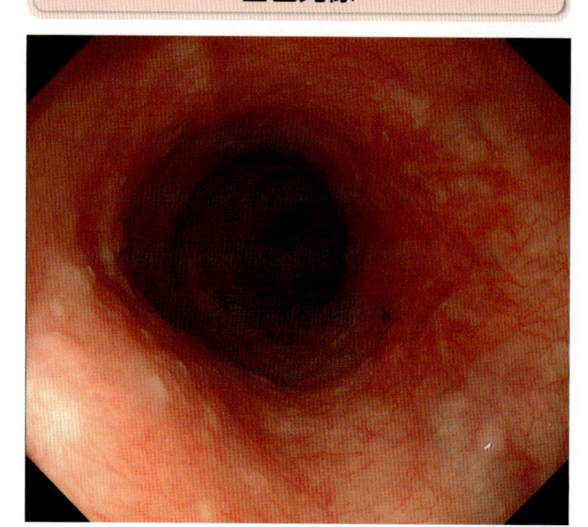

NBI

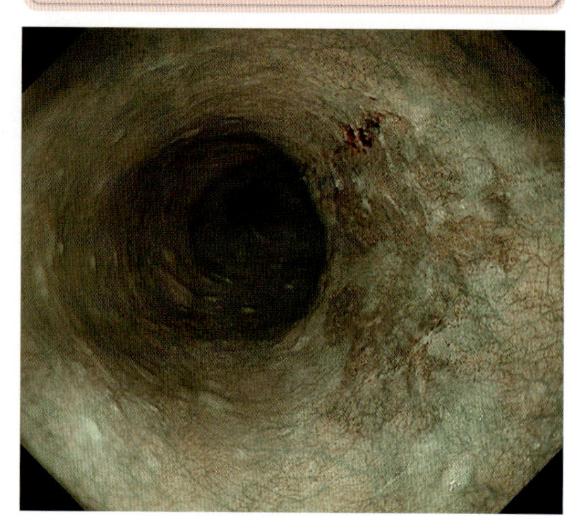

【症例】

60歳台男性。上腹部痛のスクリーニング目的で行った上部消化管内視鏡検査で切歯より26cmの食道に1/2周性の0-Ⅱc病変を指摘された。生検で扁平上皮癌の結果であったため，ESD検討目的に紹介となった。
挿管全身麻酔（TIVA※）下に診断，治療を小山が担当。Hookナイフ J を用い局注針を一度も使用しない手技を披露した。

※ p.6参照

当日の内視鏡像

白色光像

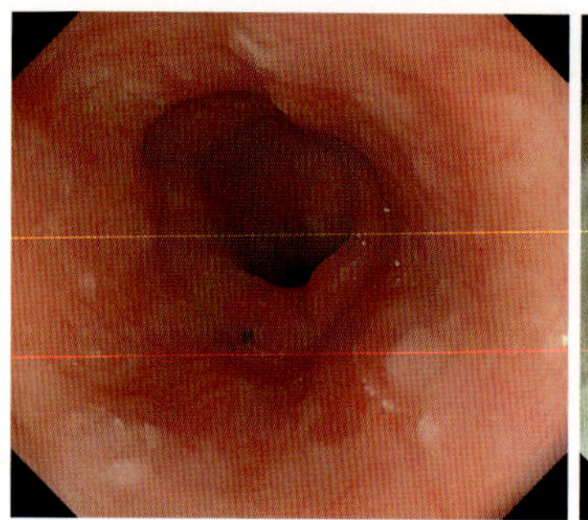

NBI

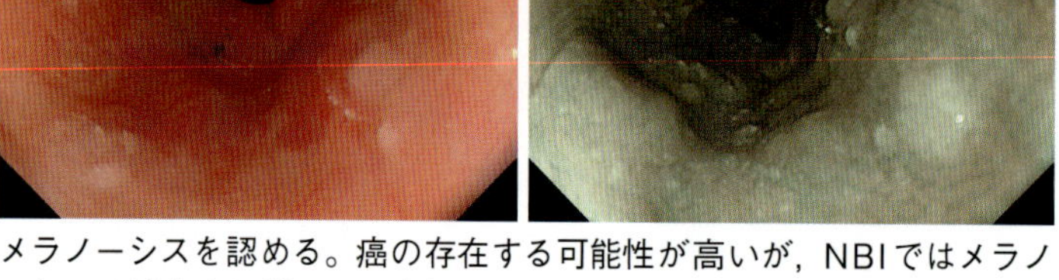

メラノーシスを認める。癌の存在する可能性が高いが，NBIではメラノーシスは観察され難いため白色光での観察も重要。

NBI 拡大観察

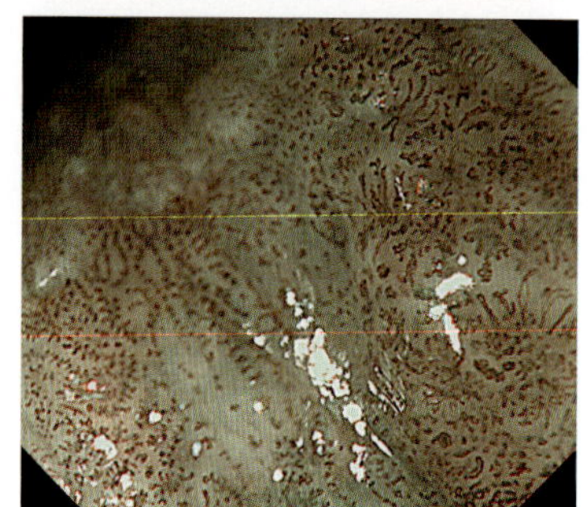

B1血管で浅い癌と考えられる。

ヨード染色像

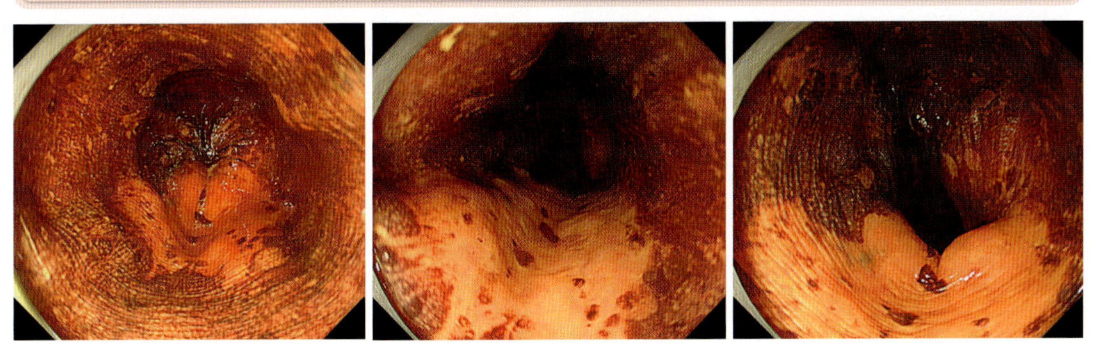

病変口側は畳み目模様が認められLPMまでと考えられる。肛門側は畳み目の入らないMMを疑う領域あり。

切除後の状態

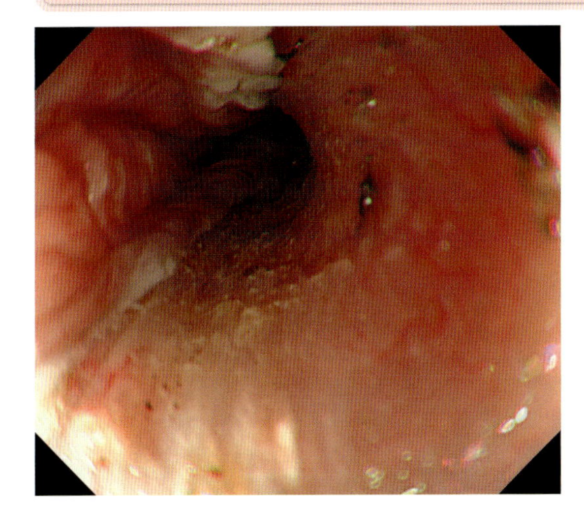

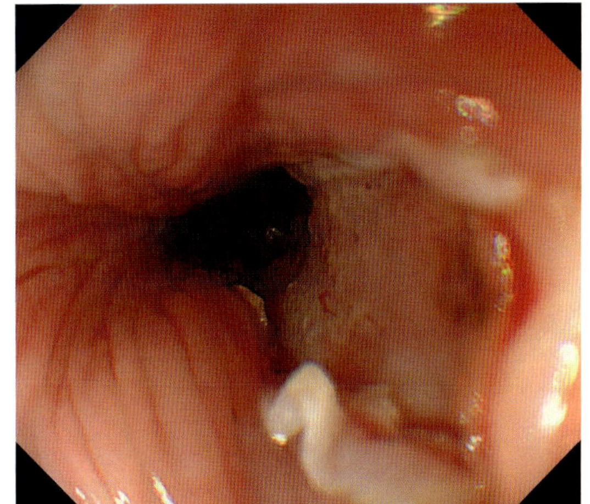

切除標本 ①

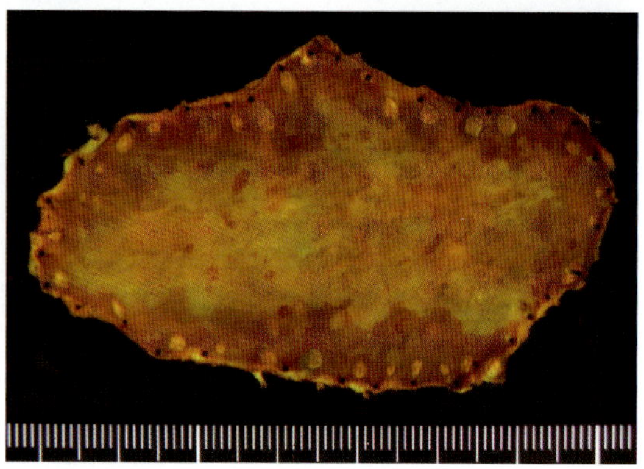

切除標本 ②

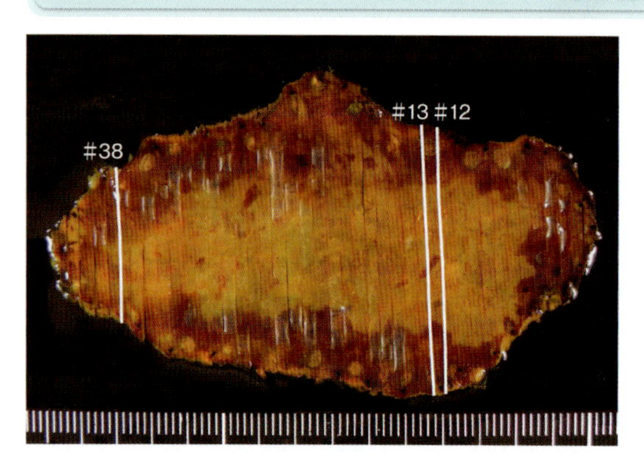

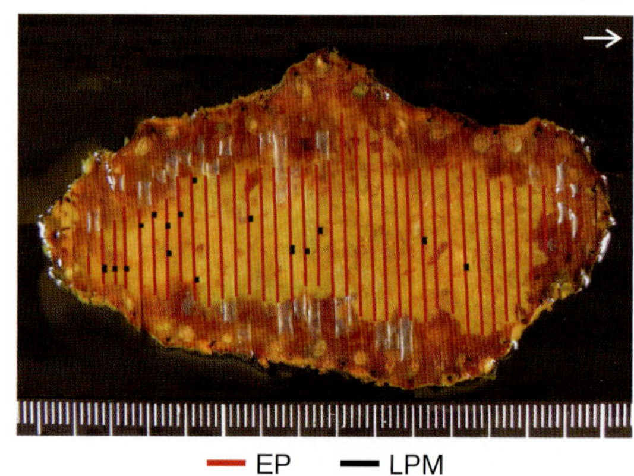

【組織所見】

ヨード不染域に一致してIIc病変をみる。大部分は上皮内癌像を示すも島嶼状に粘膜固有層浸潤を見る（図黒線）。

【組織診断】

Squamous cell carcinoma, esophagus
IIc, 63×27mm, SCC (mod), pT1a-LPM, pHM0 (2mm), pVM0, INFb, ly (−) D2-40, v (−) EVG, pR0, pCur A

病理組織像 ①

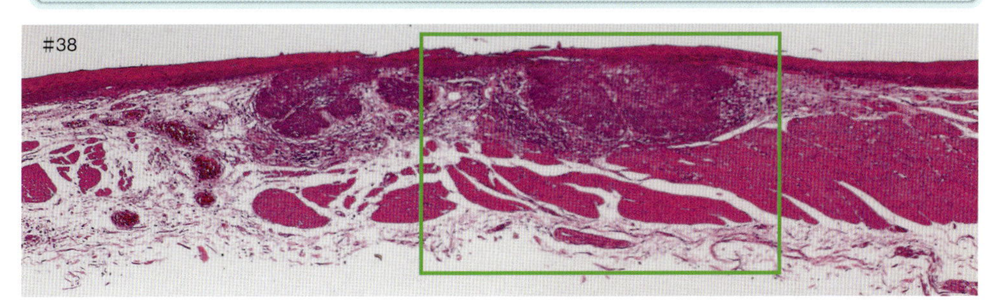

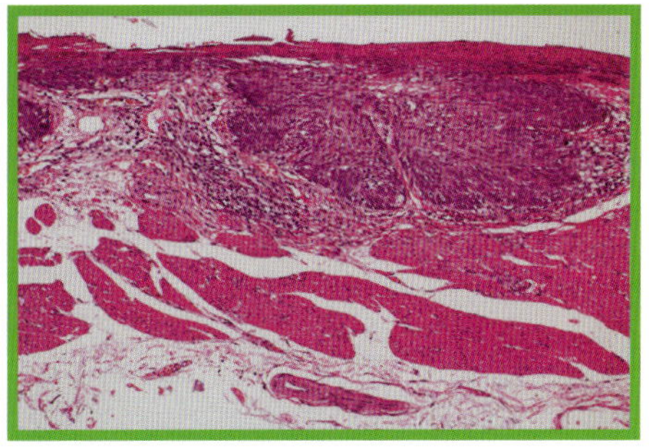

病理組織像 ②

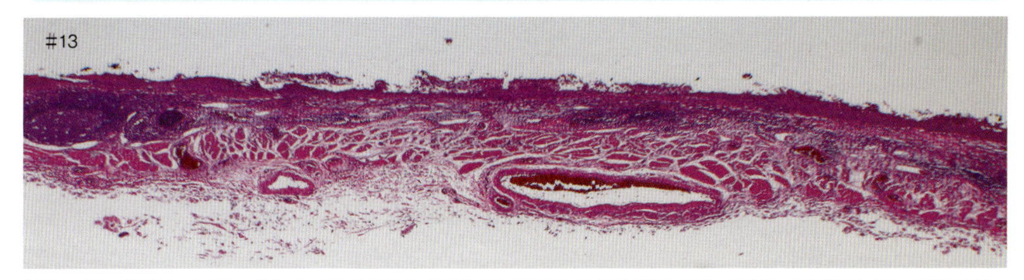

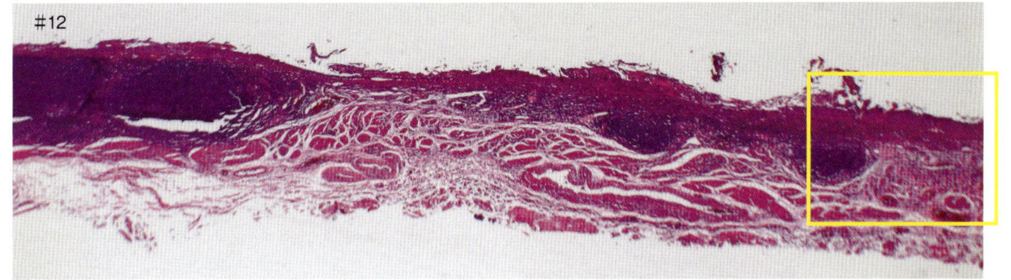

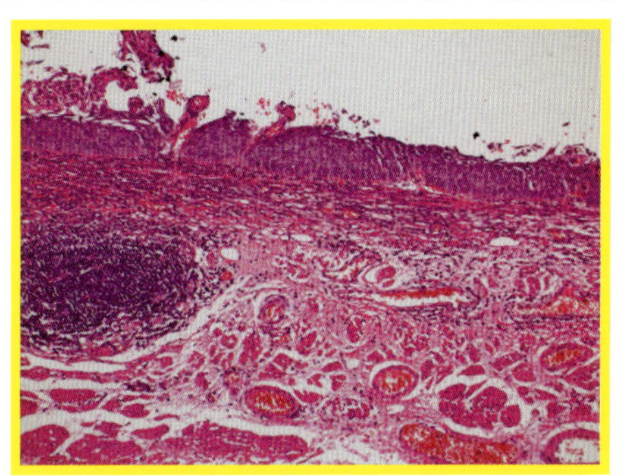

Total Intravenous Anesthesia (TIVA)：全静脈麻酔

- 静脈麻酔薬のみで行う麻酔⇒麻酔器を使用せずに全身麻酔が行える。
- 内視鏡室で行う全身麻酔に適している。
- 意識消失には催眠薬，鎮痛には鎮痛薬，骨格筋の弛緩には筋弛緩薬を投与する。
- 催眠薬としては，一般的にはpropofolの持続静注を行うが，midazolamを使用することもある。
- 確実な麻酔深度モニターが確立していないので術中覚醒に注意する。

TIVAの実際

● 導入

Preoxygenation (麻酔薬の投与を開始前に酸素投与する)

Fentanyl前投薬　2 μg/kg静注

　Propofolの血管痛緩和 (さらにlidocaineを投与すると効果増強)

　挿管刺激による血圧上昇を抑制

　麻酔薬の導入必要量を減少できる

Propofol 1～2 mg/kg静注　midazolamを併用してもよい

Rocuronium　0.6～0.9 mg/kg静注

十分な筋弛緩が得られたら気管挿管する

● 維持

Propofol持続静注　4～10 mg/kg/hr

Remifentanil (アルチバ) 持続静注　0.1～0.3 μg/kg/min程度

適時rocuroniumの追加投与

● 麻酔中のモニタリング

麻酔中は通常の全身麻酔同様以下の項目をモニタリングする。

- 血圧
- 心電図
- パルスオキシメトリ
- カプノメトリ
- 尿
- 体温

● 抜管

自発呼吸で十分な酸素化，換気が可能であることを確認する。

嚥下反射があることを確認する。

口腔内，気管内を吸引し抜管する。

その後，マスクで酸素投与する。

(KLE麻酔担当：吉原友篤　岸和田徳洲会病院消化器内科・麻酔科標榜医)

Early colon cancer

LST-NG, 25mm, T

Demonstrator — Dr. 町田浩久，Dr. 滝本見吾

白色光像

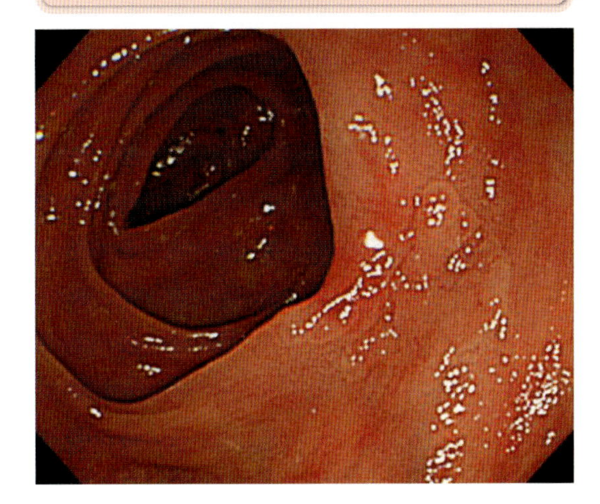

インジゴカルミン散布像

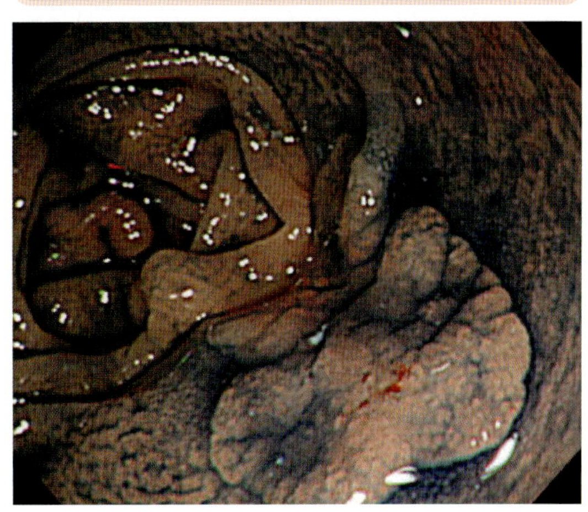

【症例】

70歳台男性。便潜血陽性の精査のため下部消化管内視鏡検査を施行したところ，横行結腸にLST-NGを認めた。陳旧性脳梗塞でプラビックス，リクシアナ内服中。プラビックスを1週間前からバイアスピリンに変更してライブに望んだ。

診断を町田，治療を滝本が担当。町田自身からの紹介症例ながら中継開始時に病変を発見出来ておらず波乱含みの展開となった。Non-traumatic tubeを用いた観察の工夫，線維化予想への対処など示唆に富む症例。

当日の内視鏡像

NBI拡大観察

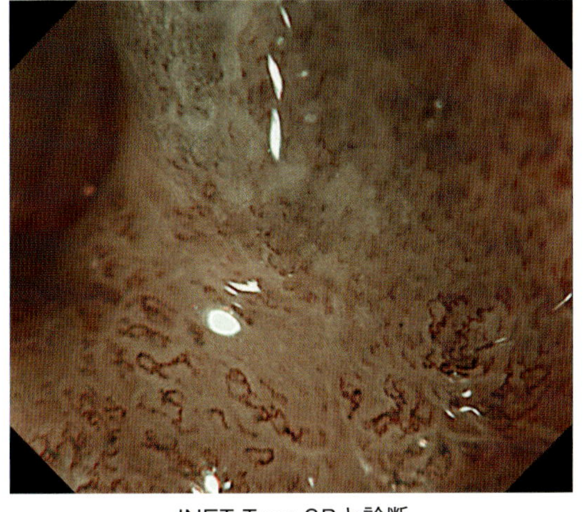

JNET Type 2Bと診断

ピオクタニン染色像

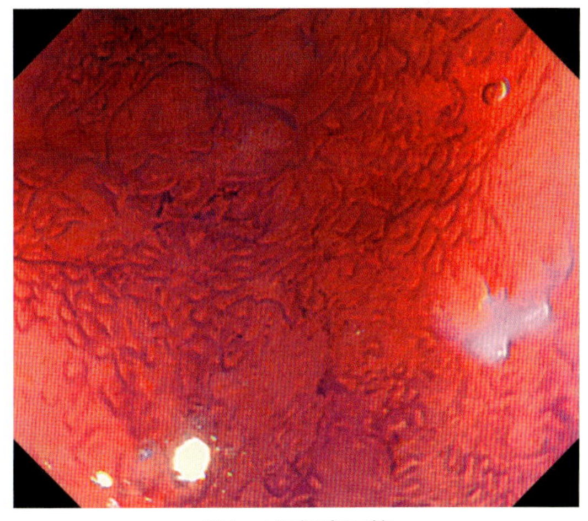

ⅢL～Vi 軽度不整

ピオクタニン染色後のNBI拡大観察

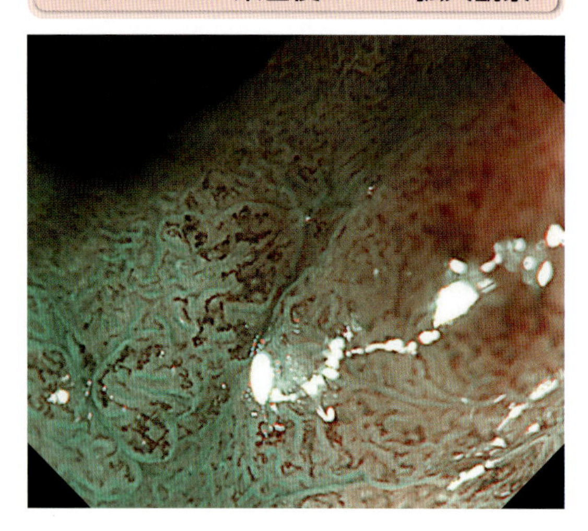

切除後の状態

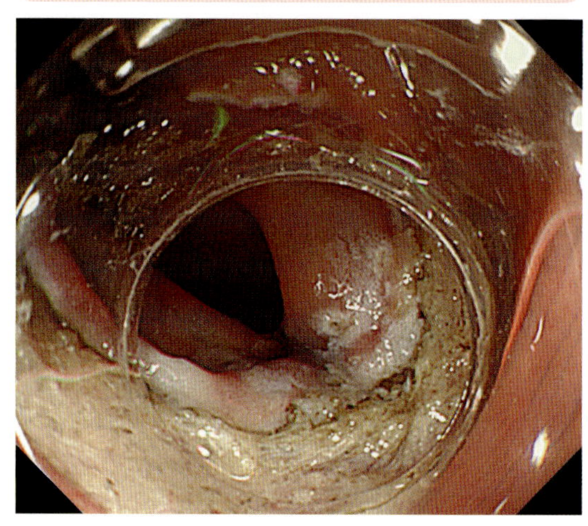

切除標本

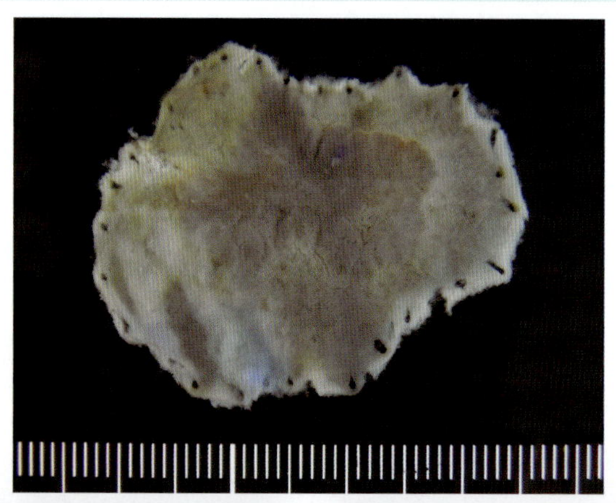

tubular adenoma

【組織所見】

中等度から高度異型を呈する管状腺腫。明らかな癌化病巣は認めない。

【組織診断】

Tubular adenoma, colon

LST-NG, 25 × 13 mm, tubular adenoma (high grade), pHM0 (2 mm), pVM0, EA

病理組織像

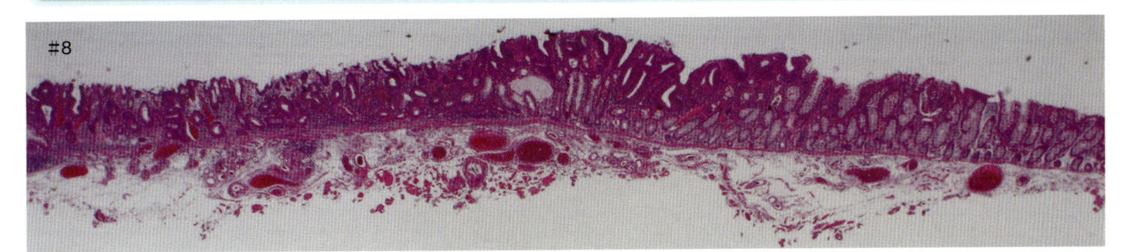

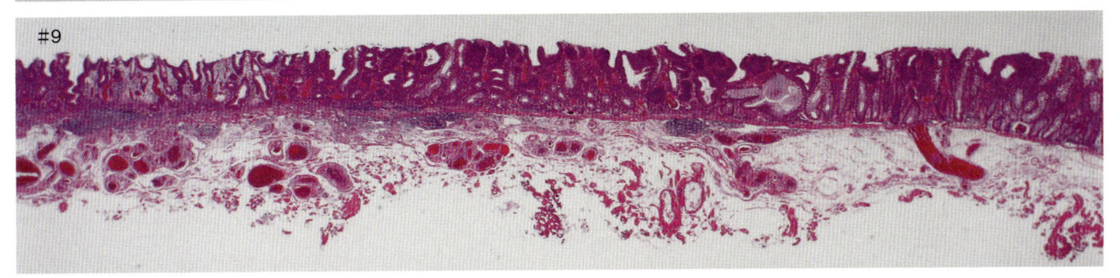

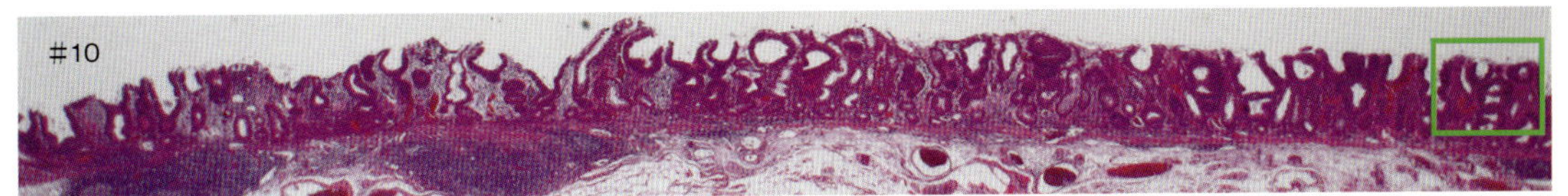

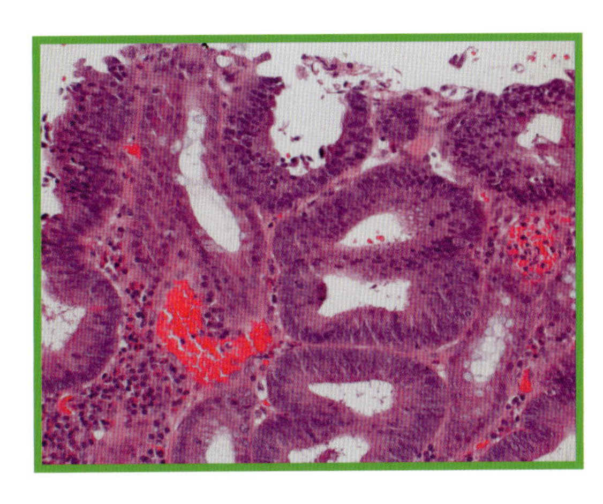

2017 Case 3

Early gastric cancer

0-IIa+IIc, 30mm, L, Less

Demonstrator Dr. 上堂文也, Dr. 角嶋直美

白色光像

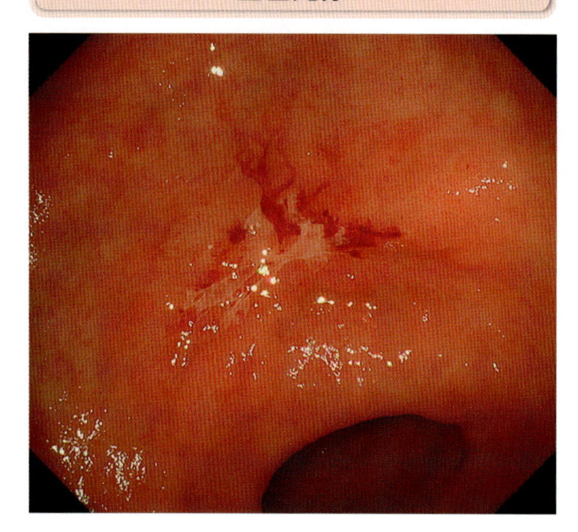

インジゴカルミン散布像

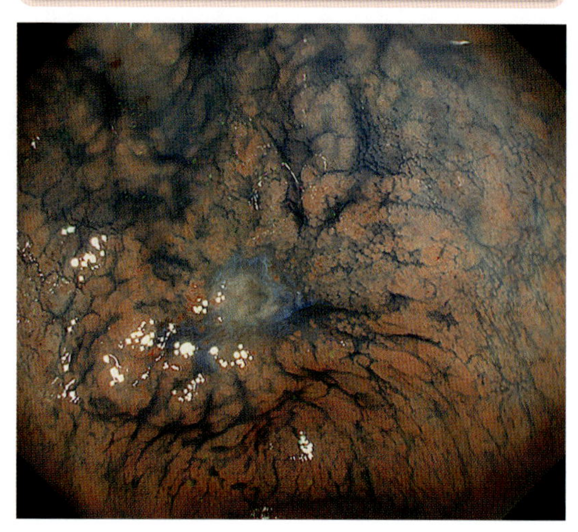

【症例】

70歳台女性。以前より胃前庭部小彎に腺腫を指摘されていたが、本年のフォローアップ時にびらんを伴っており、生検でもGroup 4を認めたため、精査加療目的に紹介受診となる。ピロリ菌は除菌済。

診断を上堂、治療を角嶋が担当。助手を小野裕之先生が勤められ、角嶋は自施設以外での初治療とは思えない落ち着いた手技を披露した。

当日の内視鏡像 ①

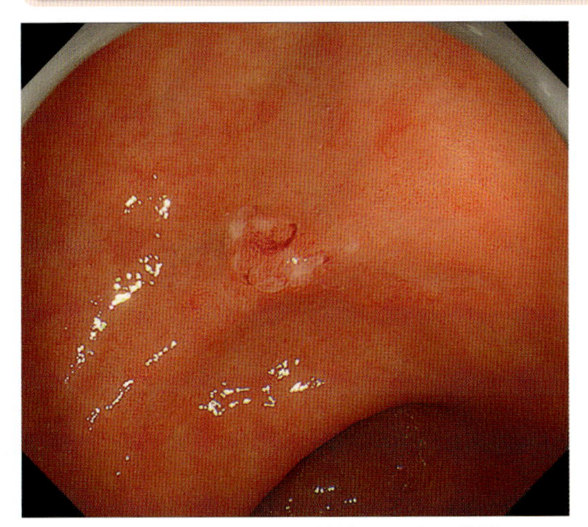

Non-extension sign 陰性でm癌と診断

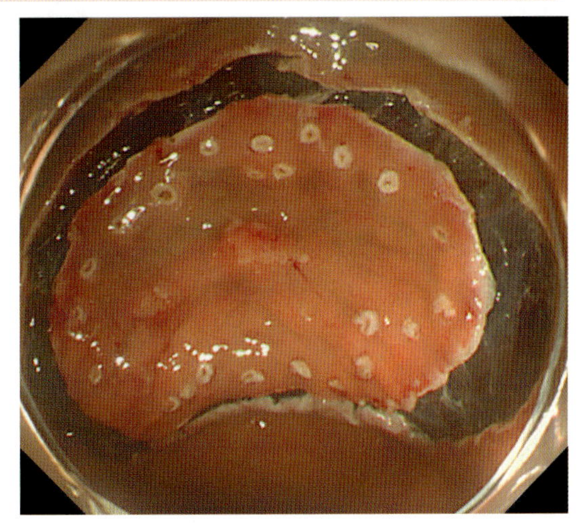

全周切開後

当日の内視鏡像 ②

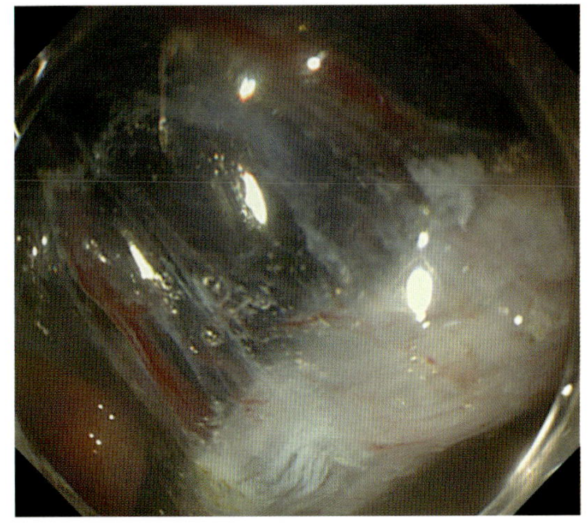

剥離中の像。トラクションがよく効いている。

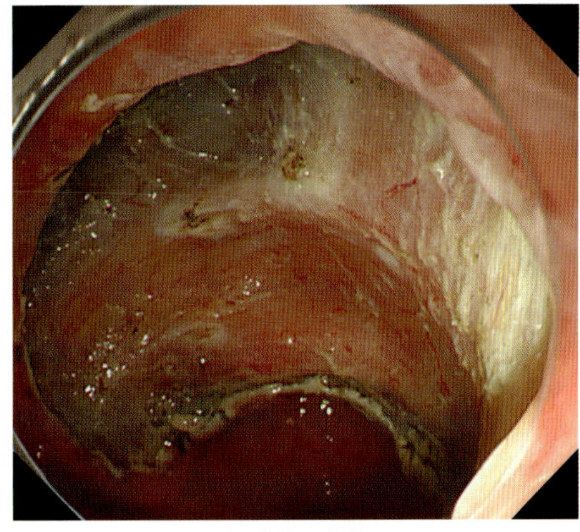

切除後の状態

切除標本

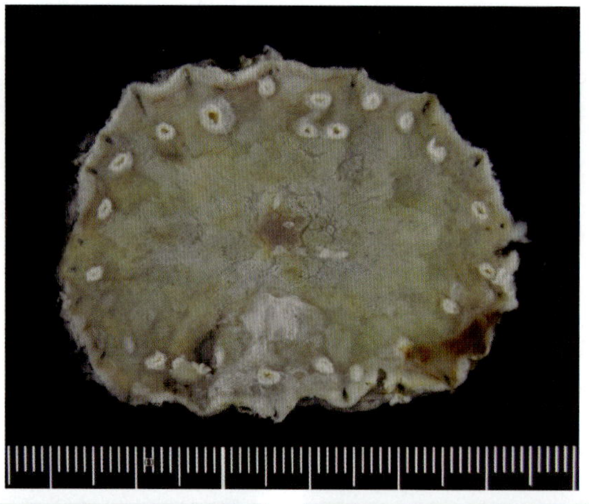

— Ta

【組織所見】

切除標本の大きさ 57 × 40 mm，27 切片を作成。#4 〜 #22 において 38 × 20 mm 大の IIc+IIa 病変をみる。管状，一部乳頭状構造を呈する高分化な腫瘍細胞の増殖像を見る。粘膜下への浸潤は認めない。

【組織診断】

Adenocarcinoma, stomach
IIc + IIa，38 × 20 mm，tub 1，pT 1 a，UL (+)，ly (−)，v (−)，pHM 0 (8 mm)，pVM 0，pR 0

病理組織像

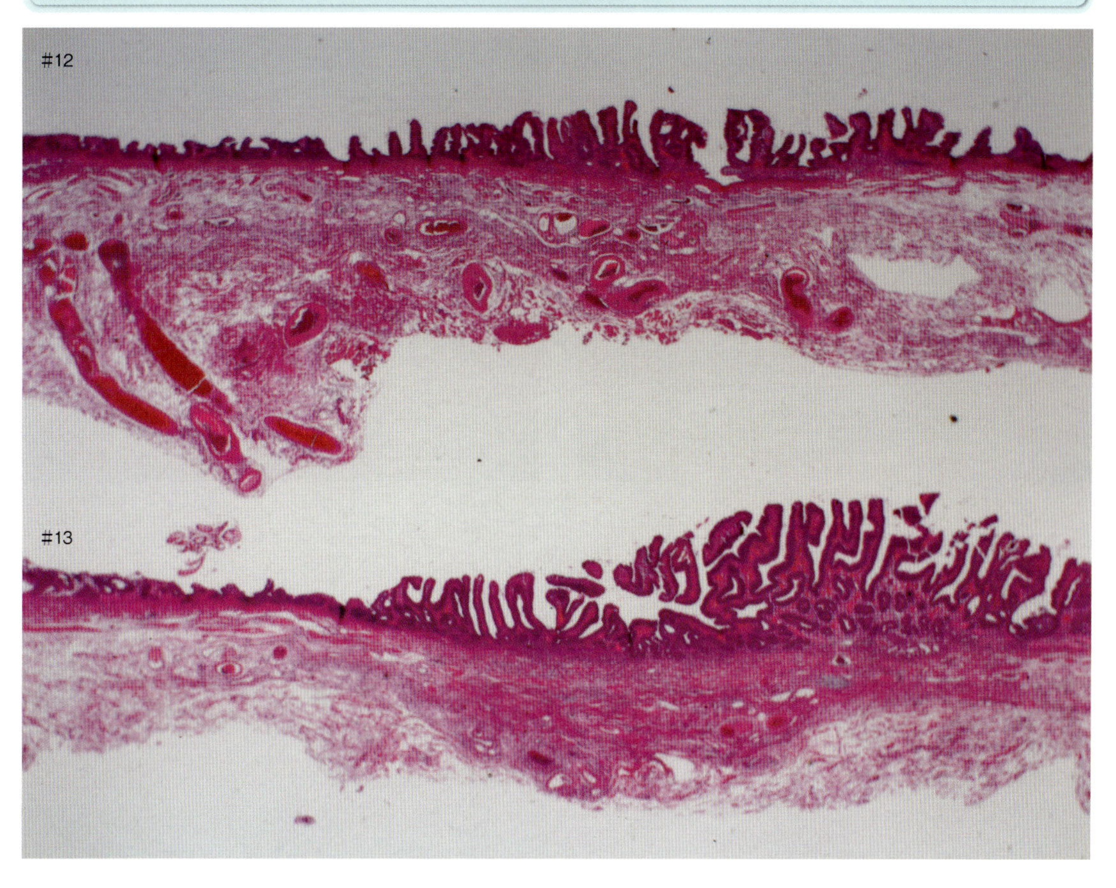

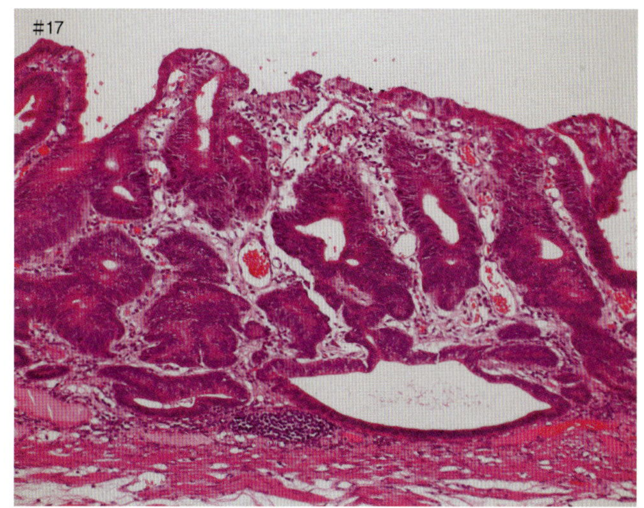

Early rectal cancer

LST-G (MIX), 40mm, Rb-p

Demonstrator — Dr. 豊永高史，Dr. 滝原浩守

白色光像

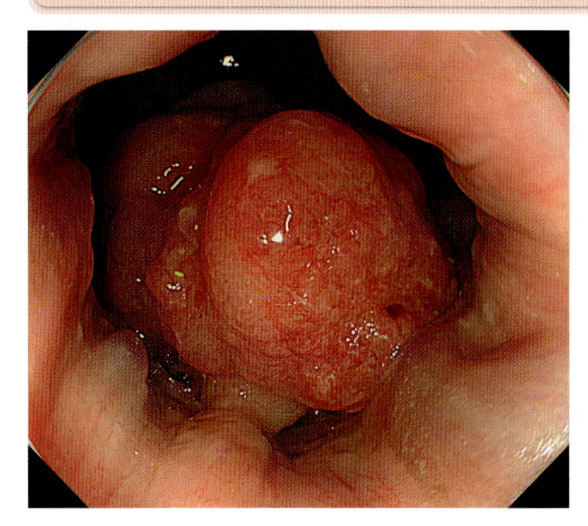
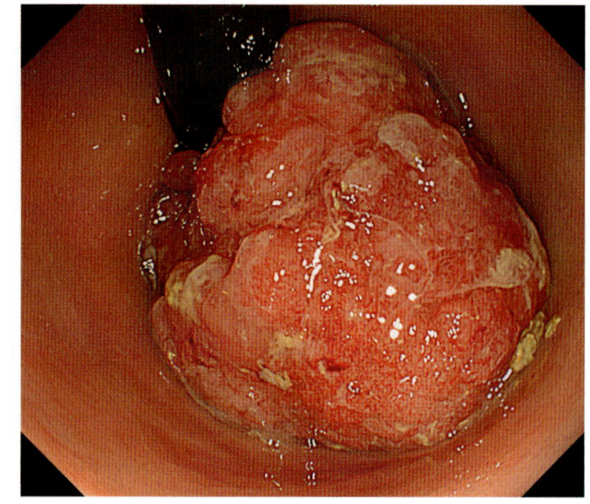

【症例】

80歳台女性。血便と繰り返す肛門からの腫瘤脱の精査のため下部消化管内視鏡検査を施行したところ，直腸から肛門管にかけて大型隆起性病変を認めた。当初手術適応と考えられたが内視鏡治療の可能性検討目的で紹介受診。前医での生検は鋸歯状腺腫の診断。
診断・治療を豊永が，EUSを滝原が担当した。著明な筋層牽引所見を認め粘膜下層での剥離は不可能な症例であったため，筋層を含む切除（PAEM）を施行した。呼吸性変動、肛門からのエアーリークが激しく安定した視野が保てない状況下，典型的なPAEMの手技（内輪筋と外縦筋間での切除）とはならなかったが，剥離済みスペースを指標にし最小限の筋層切除に留めた。

インジゴカルミン散布像

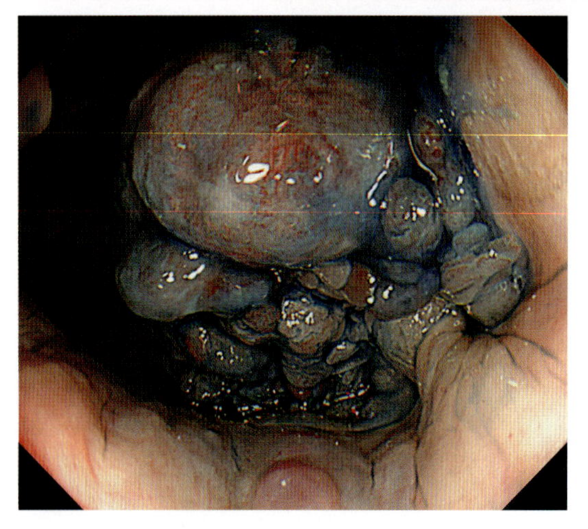
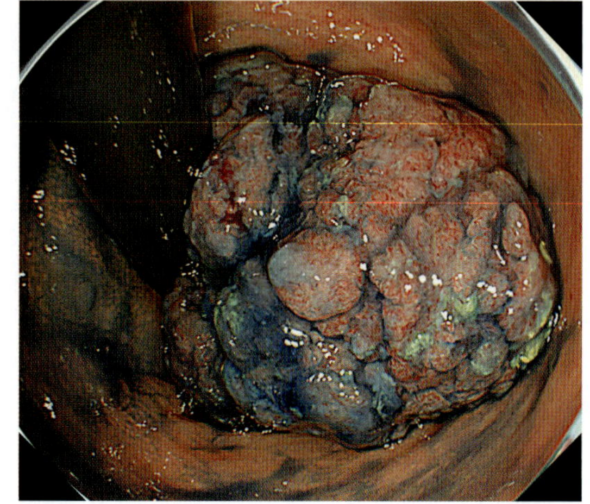

精査時の内視鏡像

白色光像

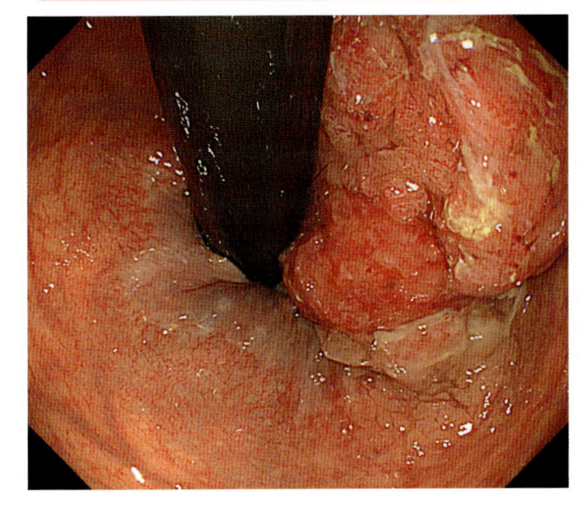

NBI

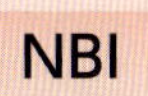

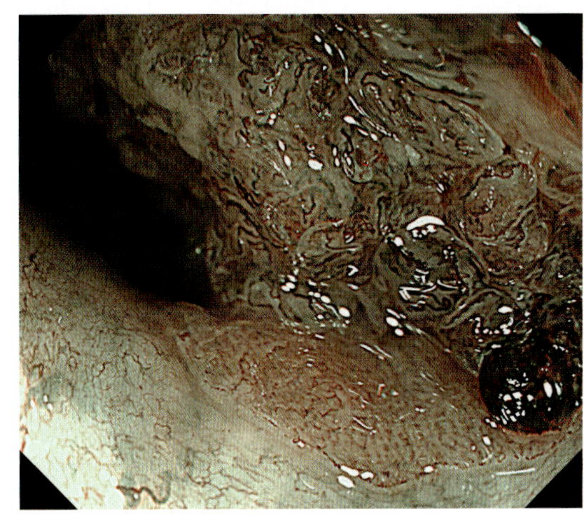

白色光像

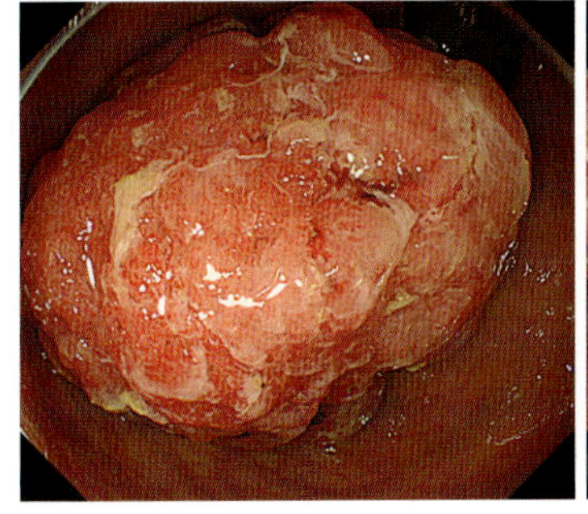

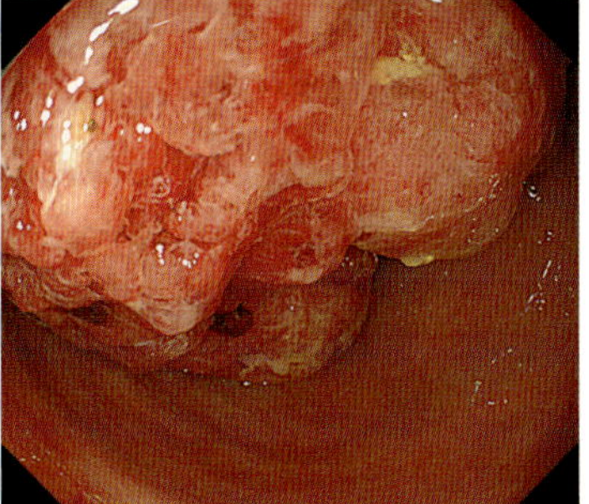

NBI

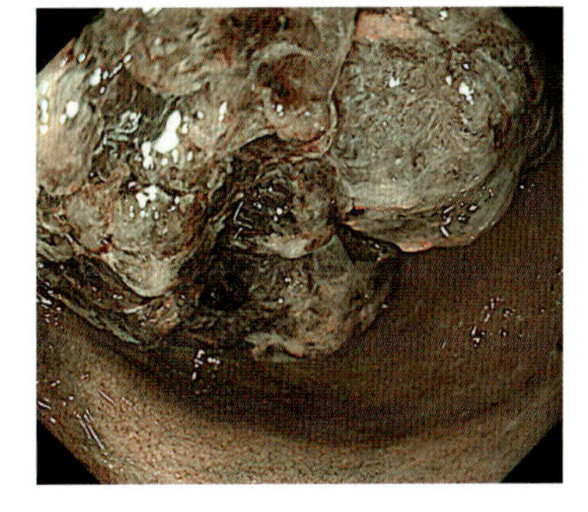

当日の内視鏡像 ①

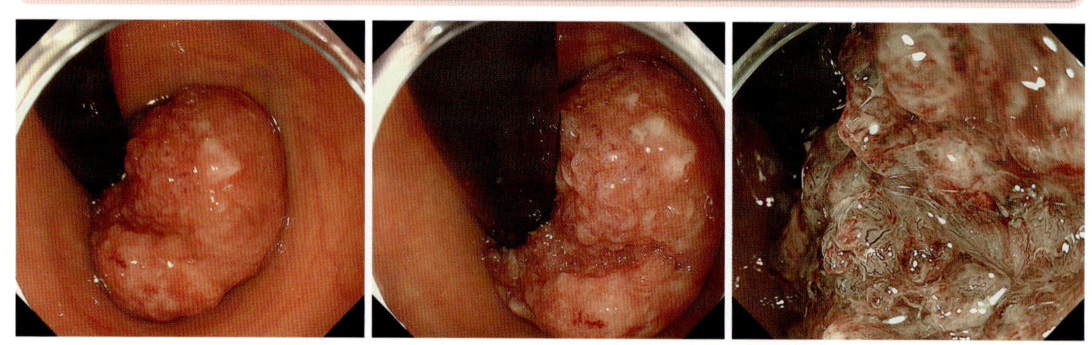

頂部の崩れは拡大している印象。一方，口側の崩れは目立たなくなっている。

当日の内視鏡像 ②

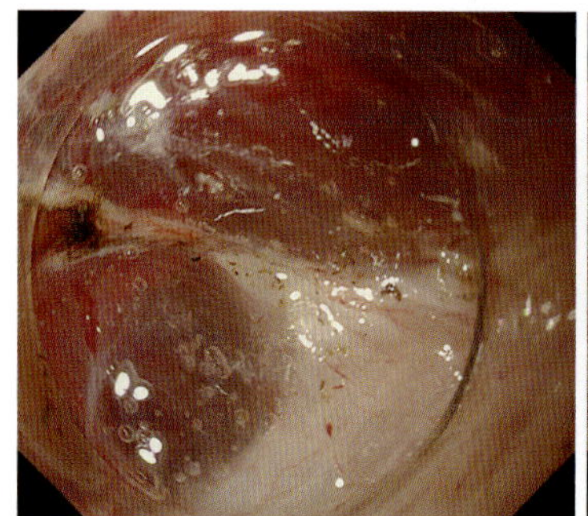

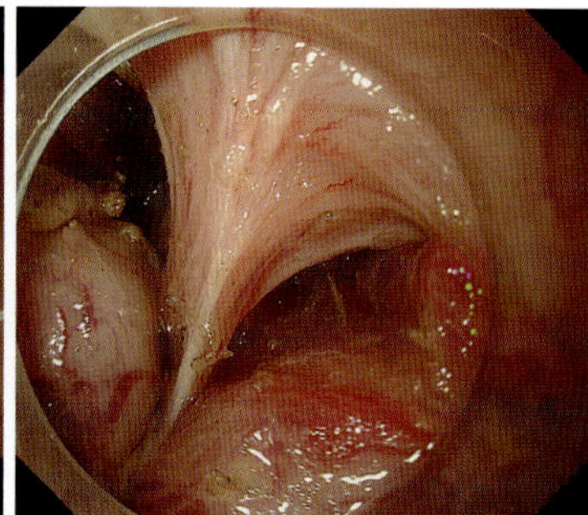

PCMで剥離を進めたところ著明な筋層牽引所見を認めた。

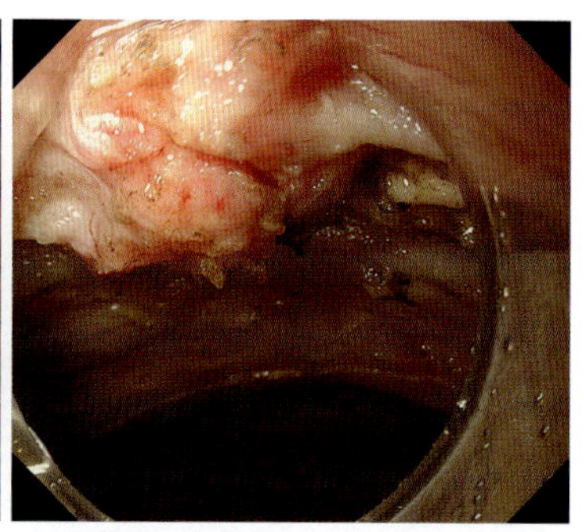

一部筋層を含む切除を行った。

切除後の状態

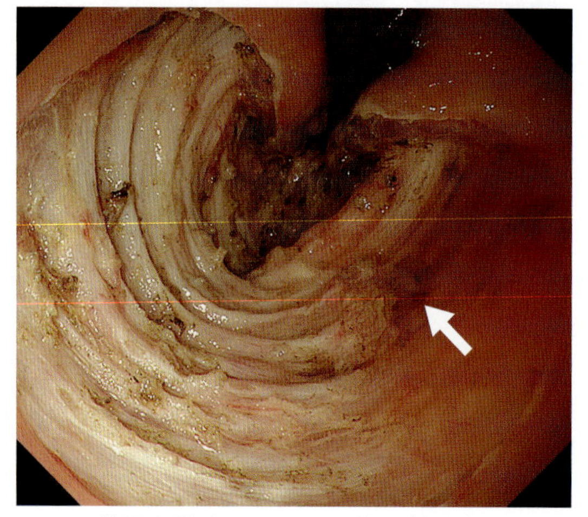

筋層牽引所見の見られた箇所（矢印）。

新鮮切除標本

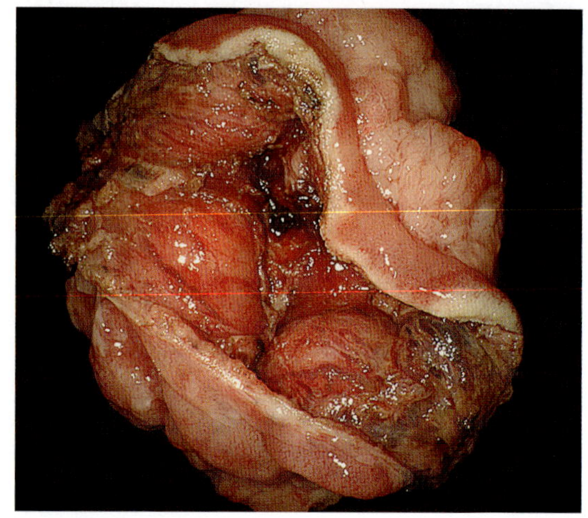

標本の裏面。本ページ中段中央の写真に一致する方向で撮影している。

切除標本

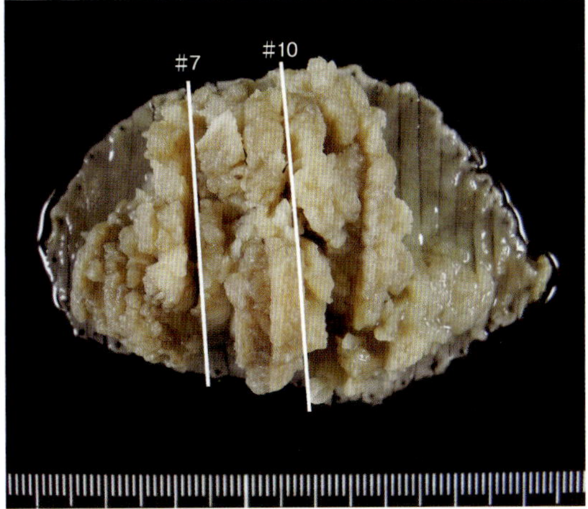

【組織所見】

管状絨毛構造を呈する腺腫の残存をみるも，乳頭状、管状構造を呈する高分化な癌細胞の増殖が主体となる。粘膜下への浸潤性増殖は認めない。

【組織診断】

Adenocarcinoma, rectum
LST-G, 61 × 45 mm, carcinoma (pap > tub1) with adenoma, pTis, ly0, v0, pHM0 (8 mm), pVM0, EA

病理組織像 ①

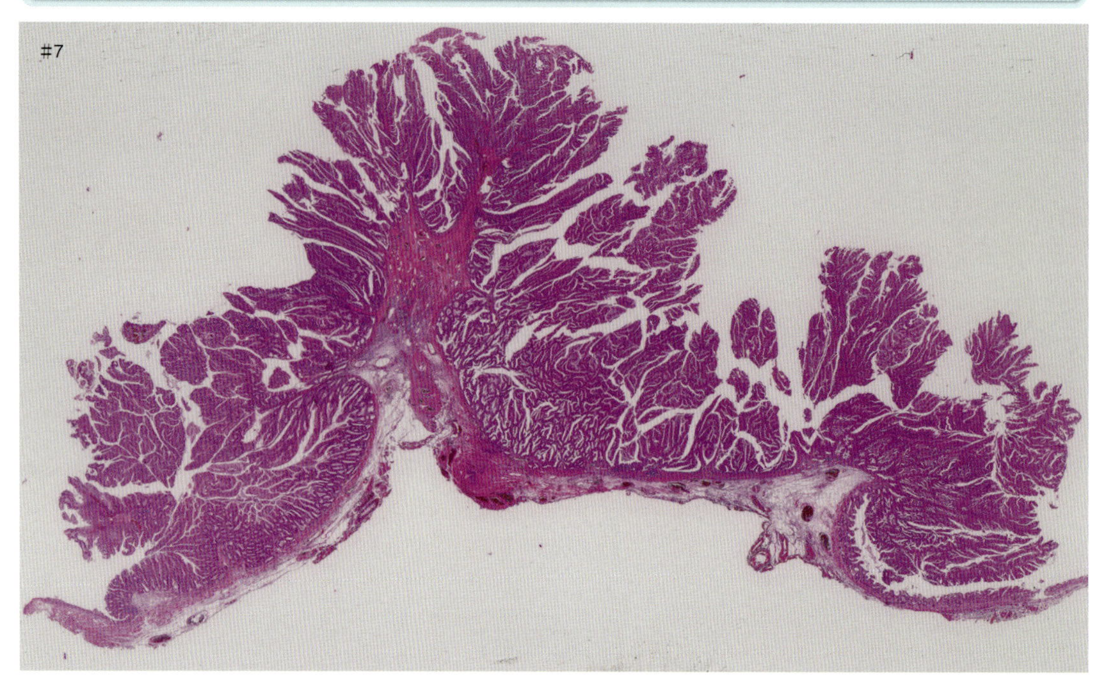

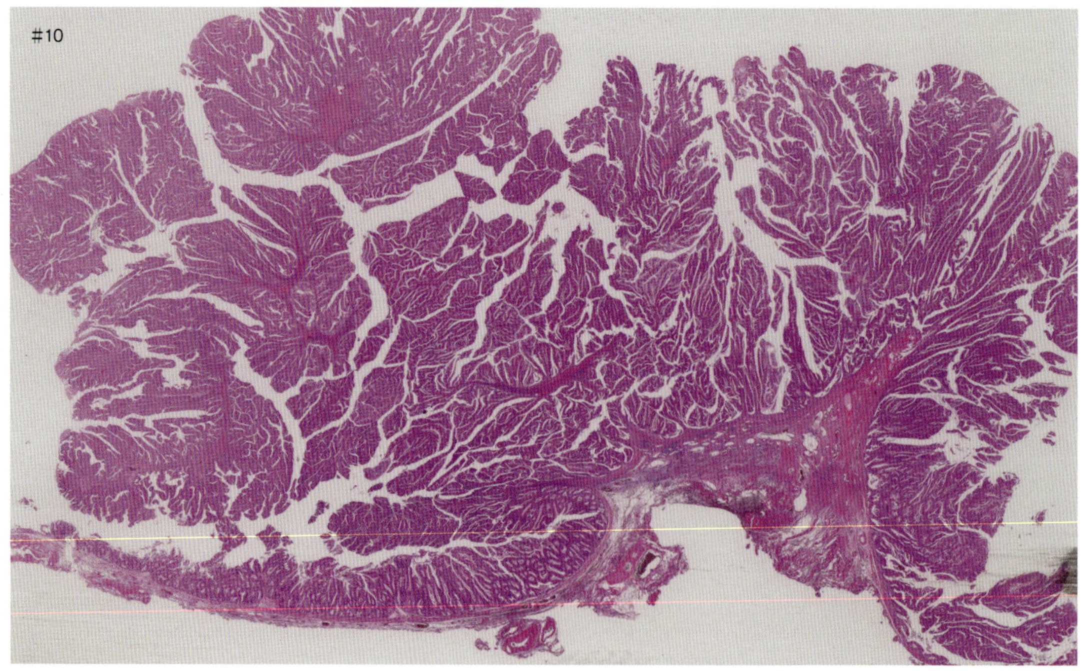

病理組織像 ②

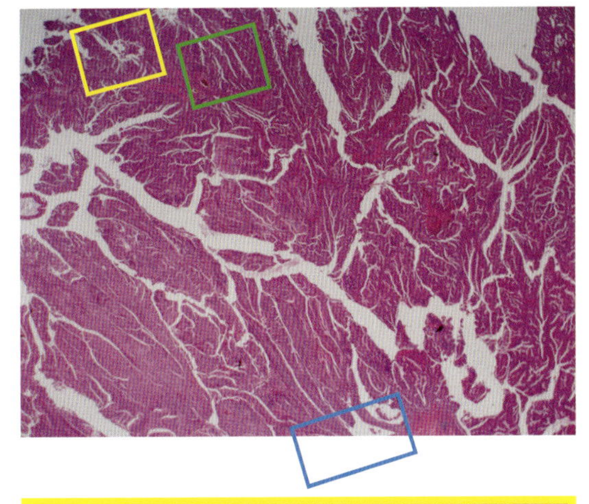
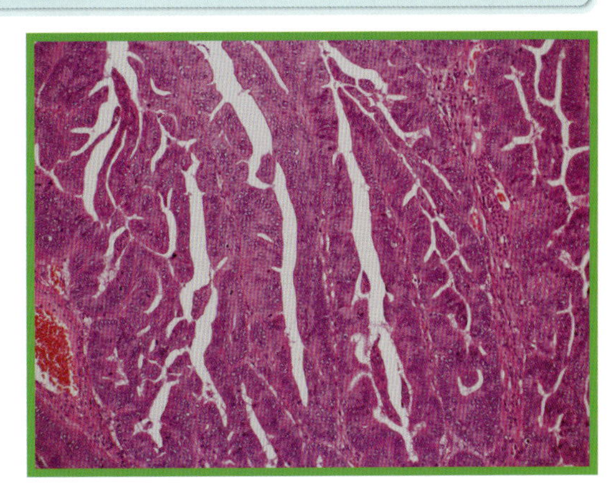
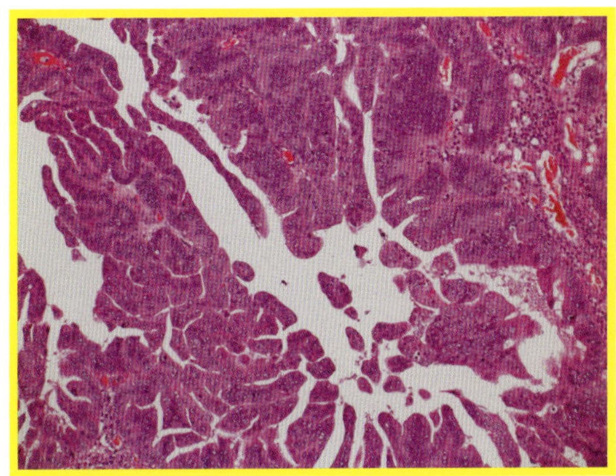
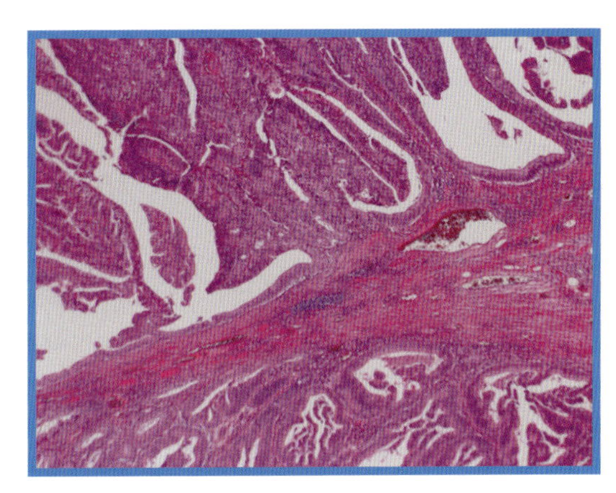

3カ月後の状態

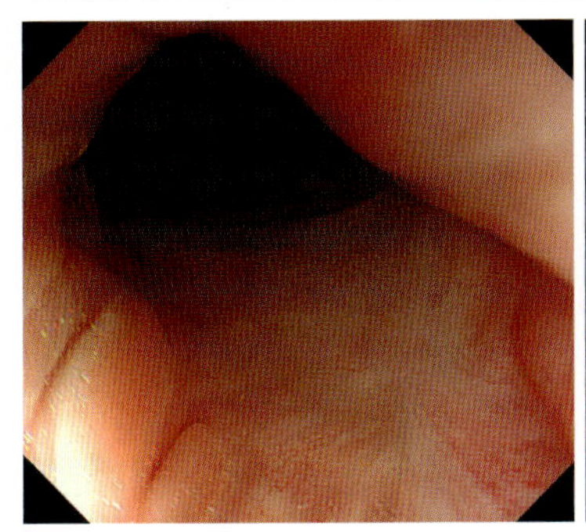
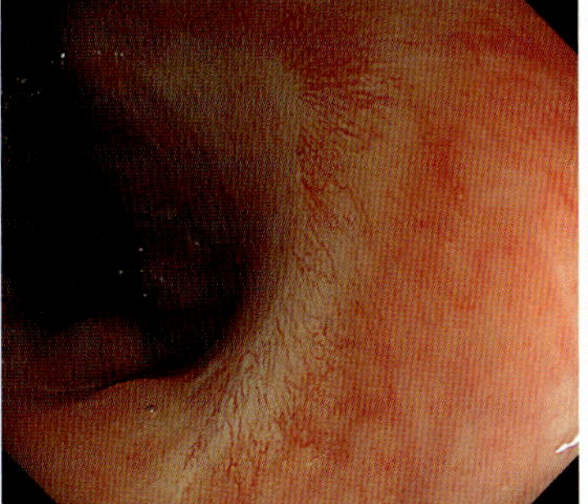
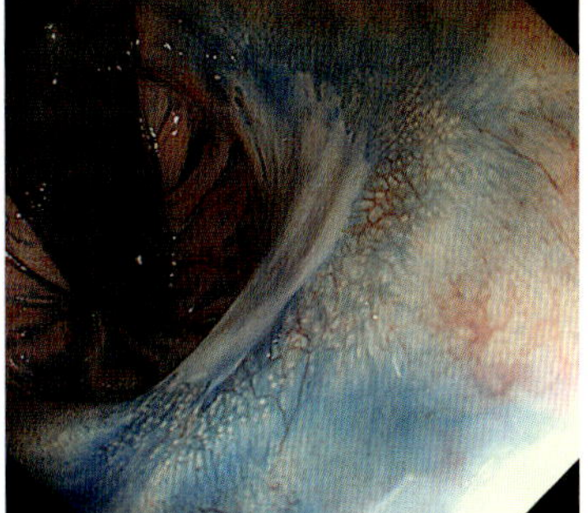

PAEMの紹介

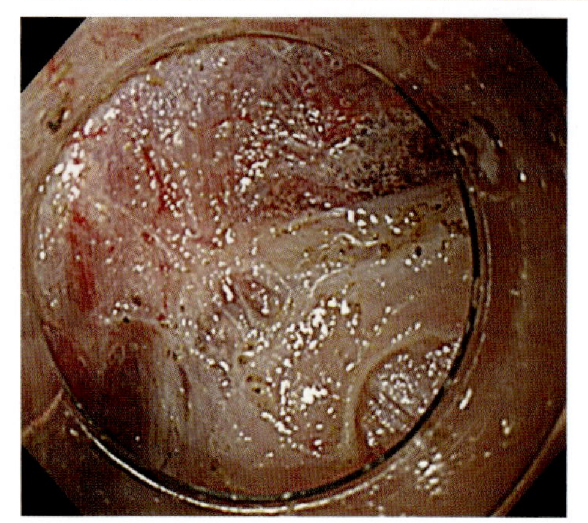

筋層牽引所見を認める。

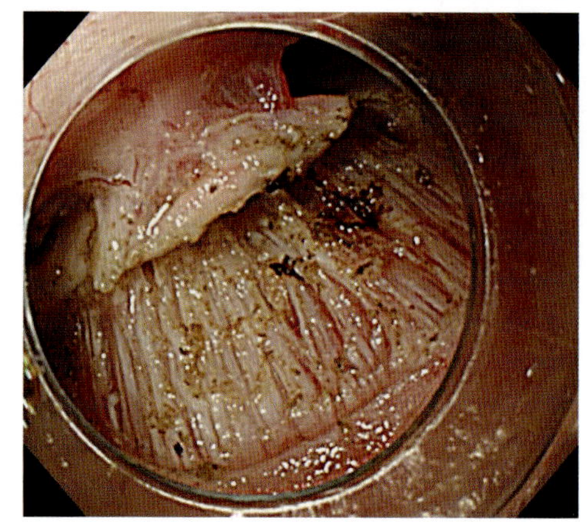

内輪筋を切開したところ。

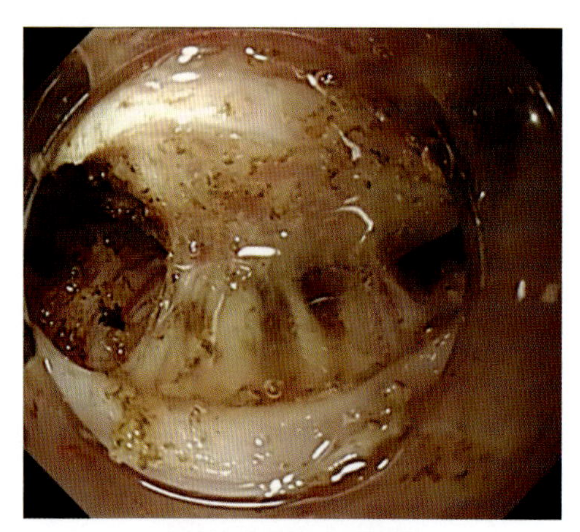

内輪筋外縦筋での切離。

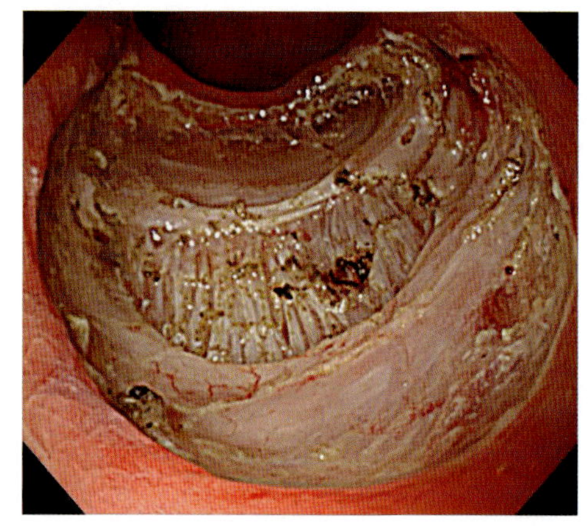

切除後の状態

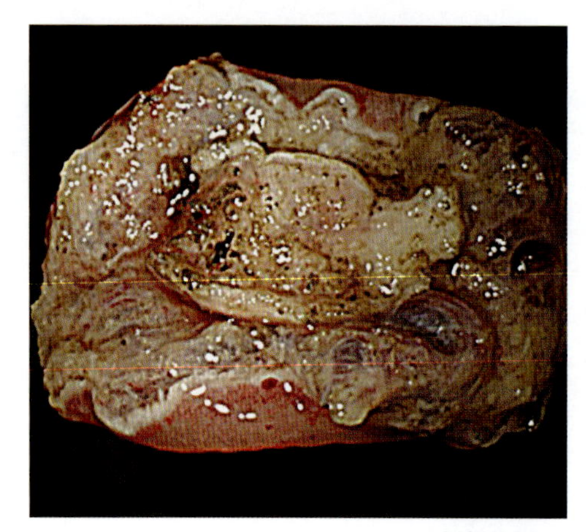

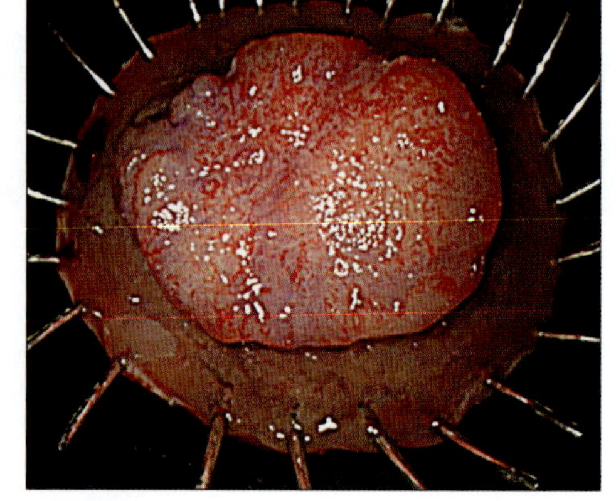

新鮮切除標本（左は裏面）。

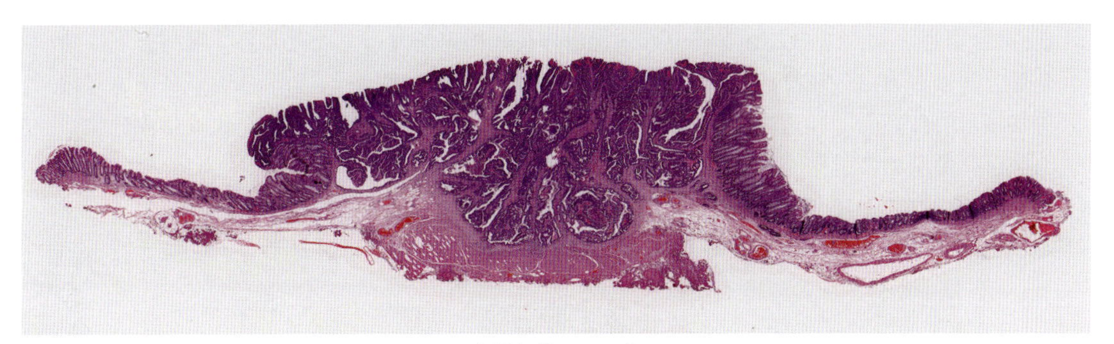

病理組織ルーペ像

Per Anal Endoscopic Myectomy（PAEM）

近年大きな進歩をもたらしたのがPocket Creation Method（PCM）の開発であろう。Muscle retracting sign陽性例に通常の粘膜フラップを用いるESDの手順を適応すると，筋層が牽引されている箇所は不安定となり有効な視野が得られない。一方，PCMでは粘膜切開を最小限に留めて粘膜下層に潜り混み，病変および病変周囲の粘膜で粘膜下層を吊り上げるため筋層に対して垂直方向のトラクションが得られる。筋層牽引部の操作性も安定し良好な視野の下，精密な剥離操作を行うことが可能である。しかし，線維化や筋層牽引が高度な場合は剥離ラインを想定することが困難な症例も存在する。このような症例の対処法として，ダブルトンネリングの要領で同部周囲の粘膜下層を剥離した後に，輪状の内輪筋切開を行い内輪筋と外縦筋の間で剥離して内輪筋と共に病変を切除するPer Anal Endoscopic Myectomy（PAEM）を開発した。PCM同様良好で安定したカウンタートラクションが得られ，線維化の高度な粘膜下層を剥離するより内輪筋と外縦筋の間で剥離する方が確実である。もちろん，直腸症例限定で本法の臨床的な意義は今後の課題である。詳細は以下の文献を参照して頂きたい。

1） David Ozzie Rahni, Takashi Toyonaga, Yoshiko Ohara, et al. First reported case of per anal endoscopic myectomy（PAEM）: A novel endoscopic technique for resection of lesions with severe fibrosis in the rectum. Endosc Int Open 2017；05（03）：E146-E150. DOI: 10.1055/s-0044-122965

2） 2）Takashi Toyonaga, Yoshiko Ohara, Shinichi Baba et al. Per Anal Endoscopic Myectomy（PAEM）for rectal lesions with severe fibrosis and exhibiting the muscle-retracting sign. Endoscopy 2018; 49: 813-817. DOI 10.1055/a-0602-3905

Early gastric cancer

a. 0-IIc, UL (+), 30mm, M, Post.　b. Gastric IIa lesion, U, Post / Less

Demonstrator　Dr. 小山恒男，Dr. 前田有紀，Dr. 上堂文也，Dr. 梅垣英次

【症例】

80歳台男性。スクリーニングで上部消化管内視鏡検査を施行したところ，噴門直下に黄色腫と思われる白色顆粒状隆起を認めた，前医で3カ所生検施行され，Group 4であり精査加療目的に紹介。精査内視鏡にて，胃角部後壁にも0-IIc病変を認め，生検は中分化から高分化型腺癌の所見であった。ピロリ菌は現感染の状態。

診断を小山が，EUSを前田が担当。治療は5aを上堂が，5bを梅垣が担当，ITナイフ2の開発者である小野先生が見守る中，直視下の操作に徹する近畿勢らしい手技を提示した。5bは中継終了後の映像も収録。

Case 5a

白色光像

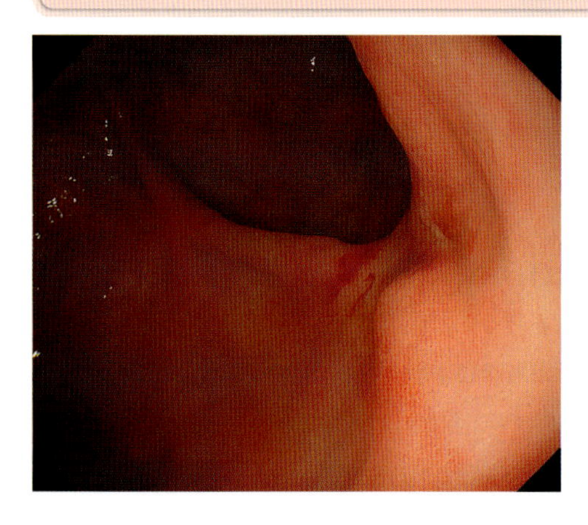

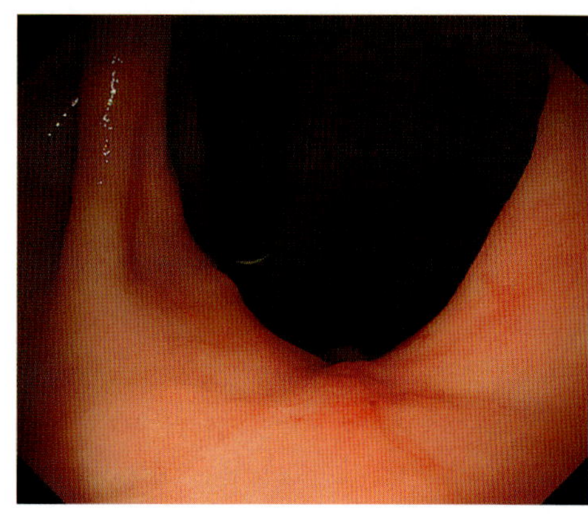

当日の浸水下観察像

白色光像

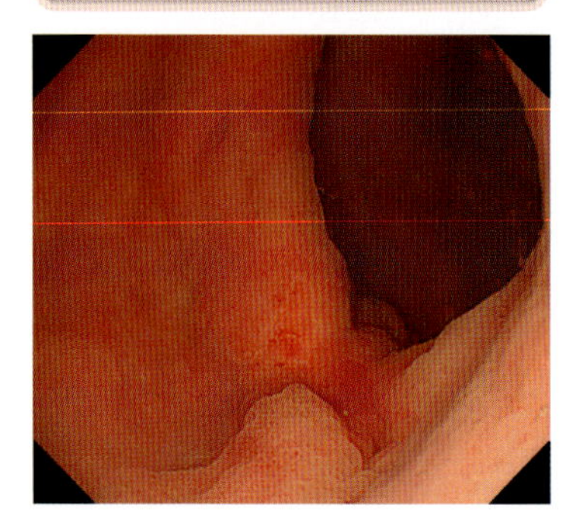

NBI拡大観察

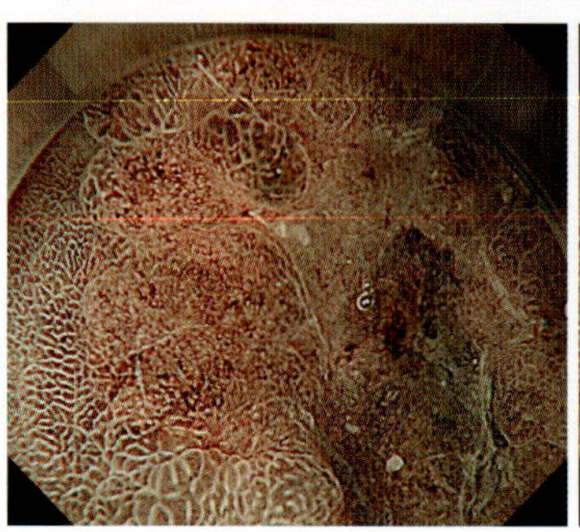

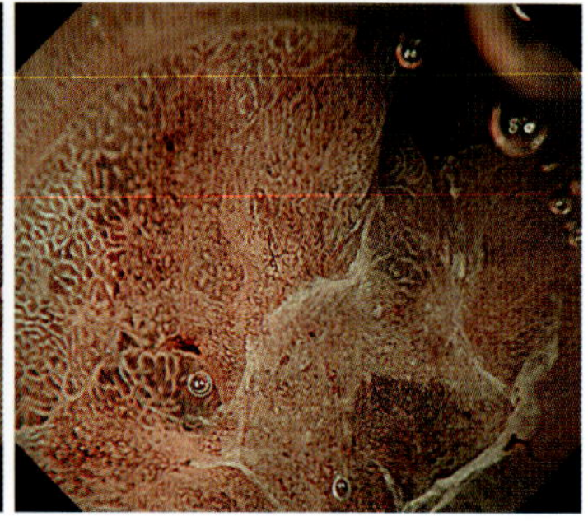

境界は明瞭。表面構造は不明瞭化しており分化度が落ちてきていると考えられる。粘液の付着も高分化型には見られない所見。

切除後の状態

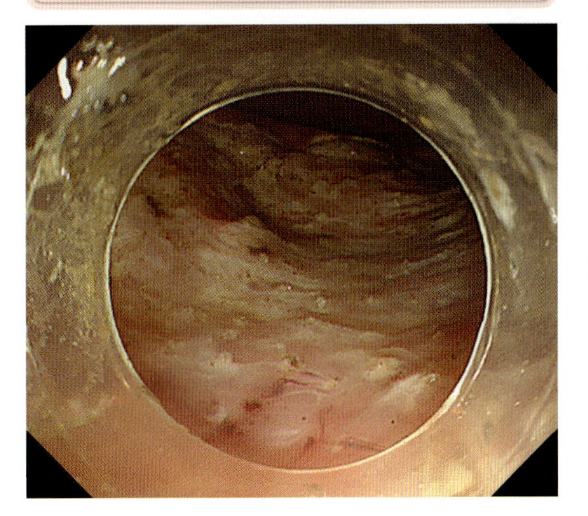

切除標本 ①

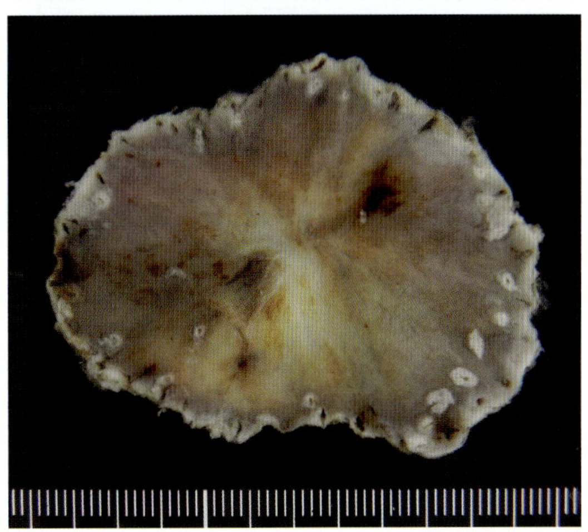

切除標本 ②

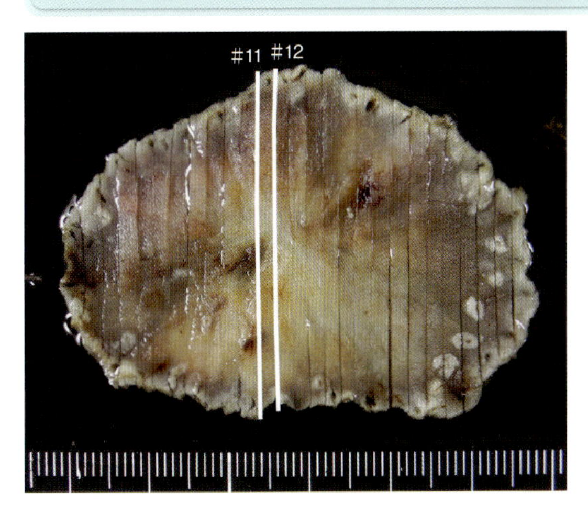

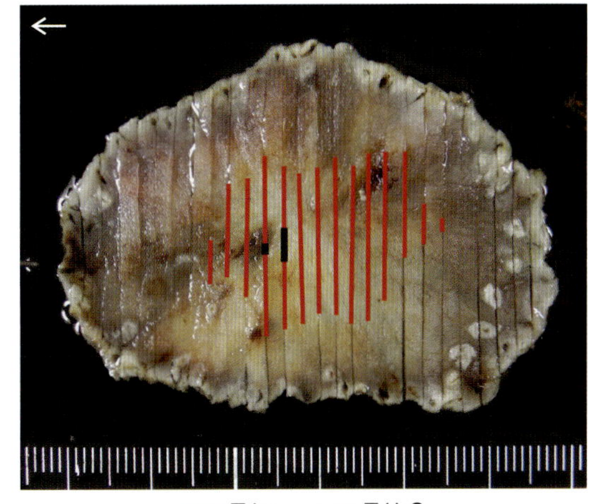

— T1a — T1b2

【組織所見】

潰瘍瘢痕を伴うIIc病変をみる。主に立方状から円柱状の腫瘍細胞が不規則吻合腺管を形成し粘膜内に増殖する。#11，#12では4×3mm大の粘膜下浸潤をみる。最深1,300μmの粘膜下浸潤で垂直断端までの距離は1,500μm。

【組織診断】

Adenocarcinoma, stomach
IIc, 28×21mm, tub2, pT1b2 (1,300μm), UL (+), ly (−) D2-40, v (−) EVG, pHM0 (8 mm), pVM0 (1,500μm)

病理組織像

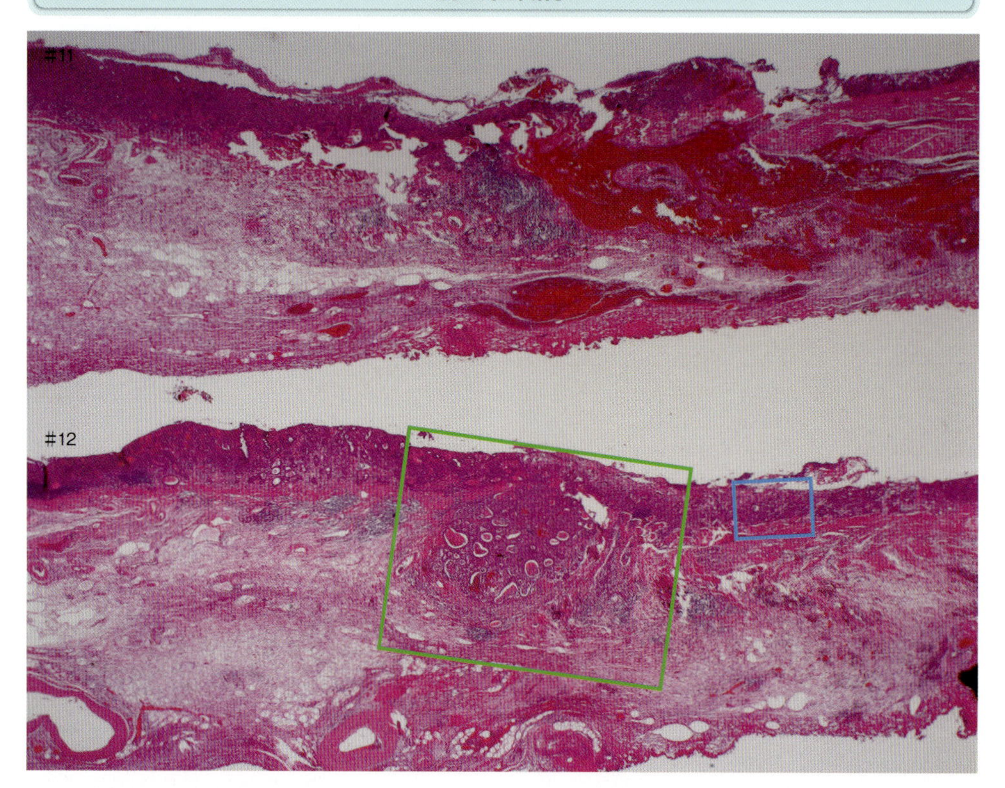

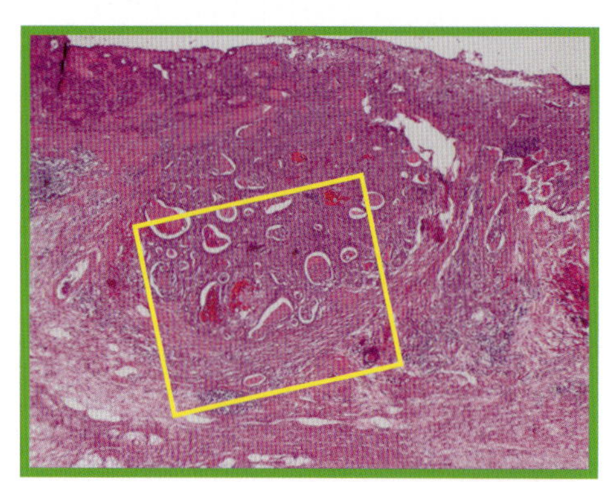

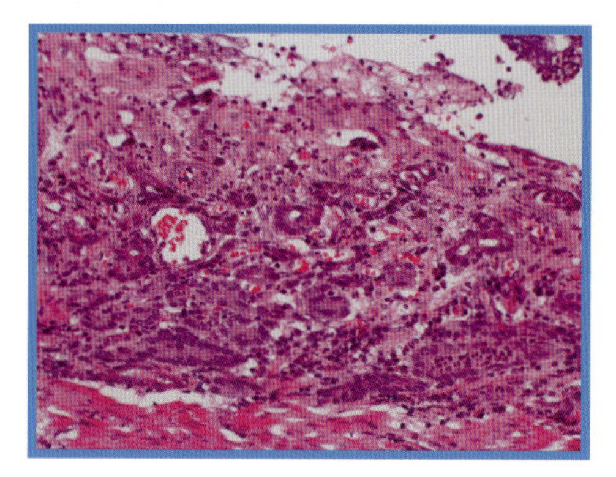

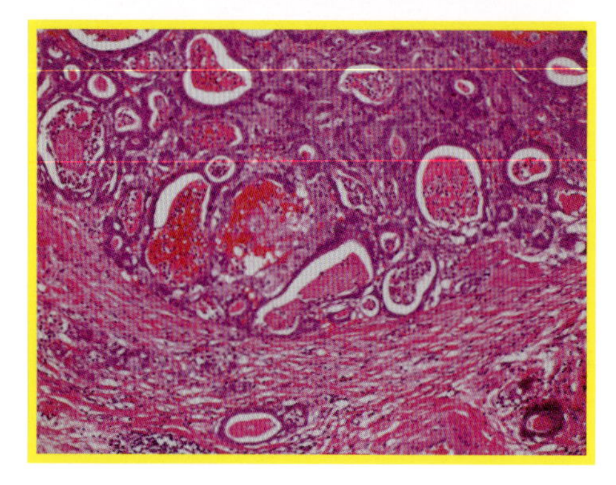

Case 5 b

白色光像

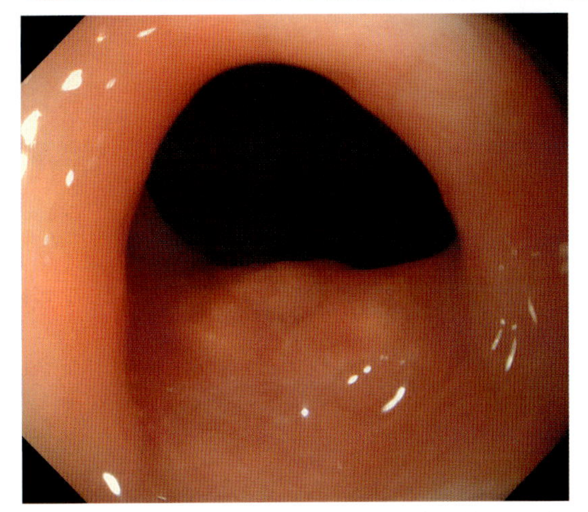

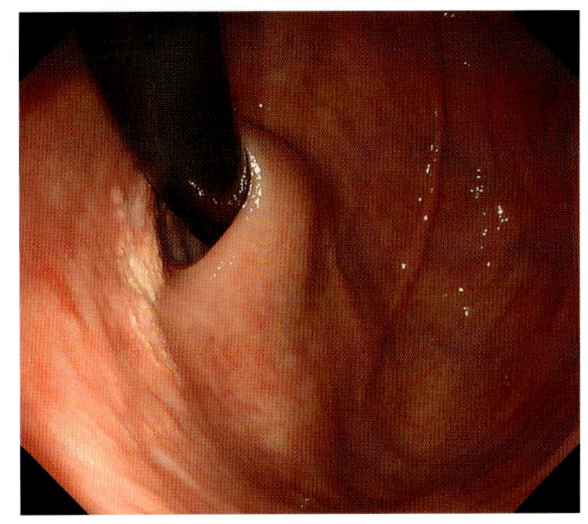

Suspicious of early gastric cancer with xanthoma，0-Ⅱc

前医生検

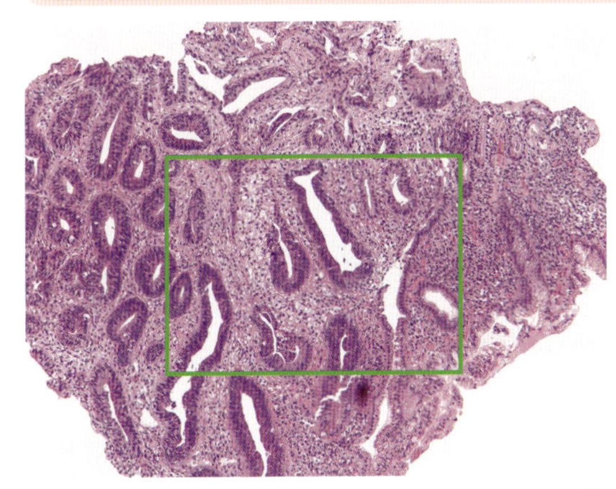

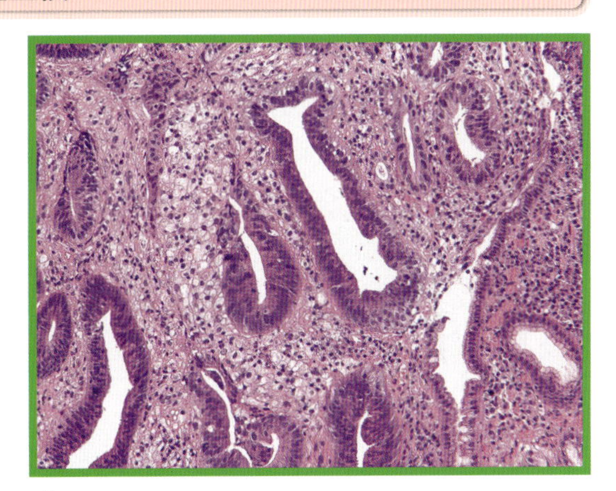

Group 4

当日の浸水下観察像

白色光像

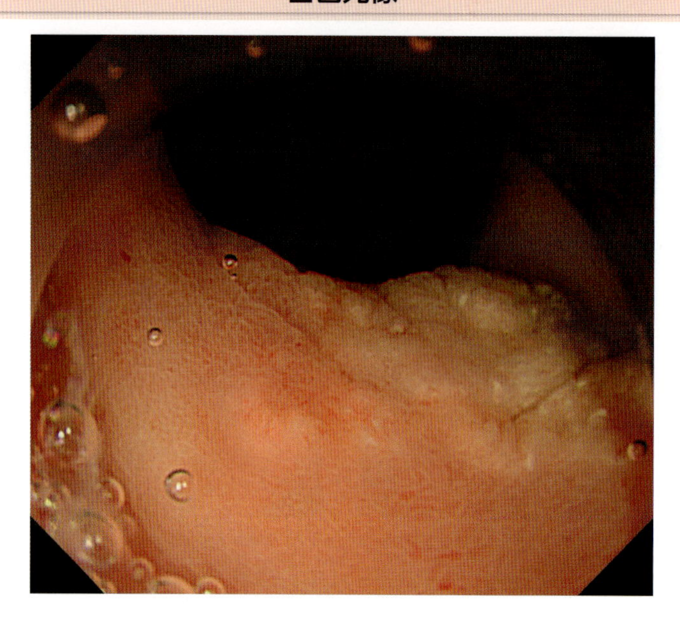

NBI 拡大観察

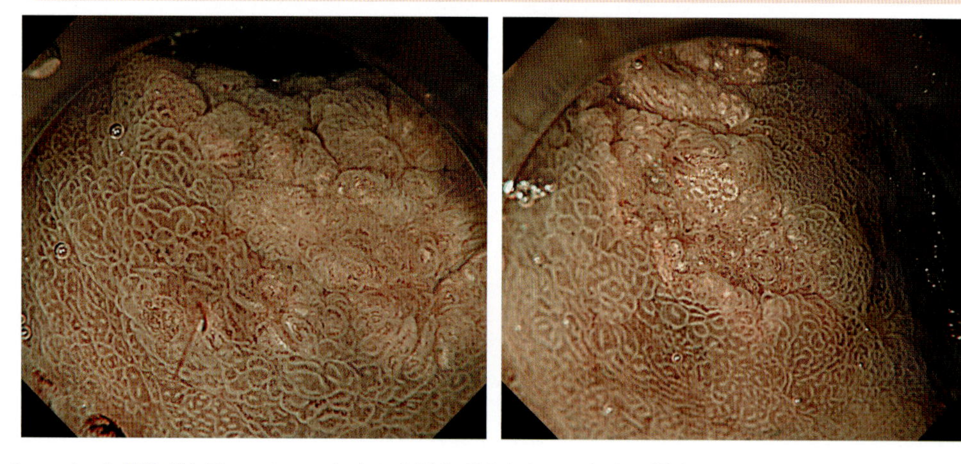

Irregularな構造がありxanthomaと癌の合併と考えられる。加えて単なるxanthomaにしては大きい。

切除後の状態

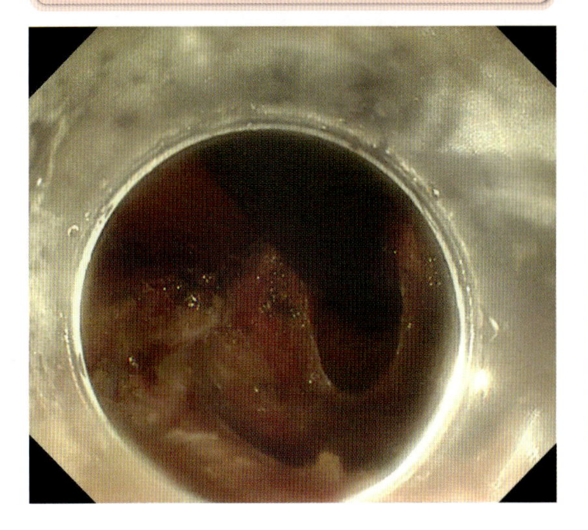

切除標本 ①

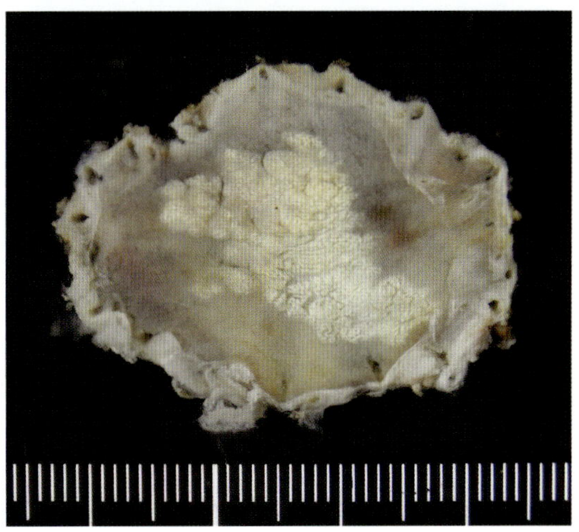

切除標本 ②

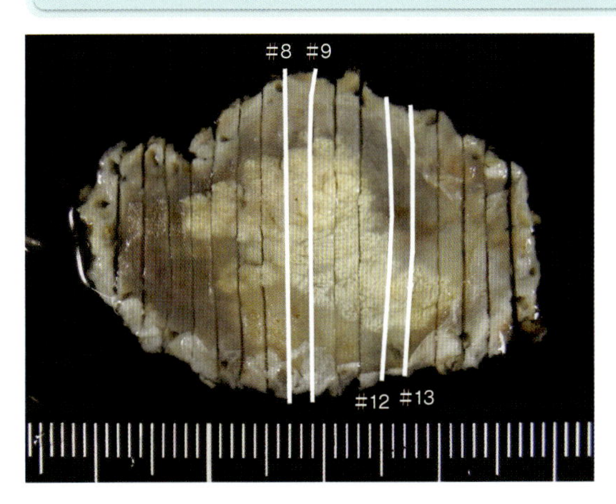

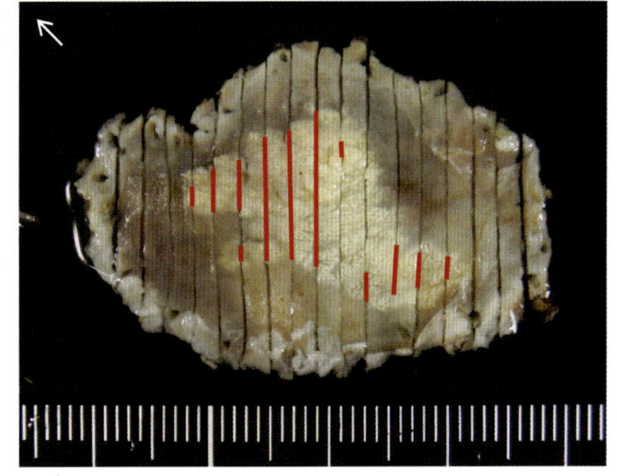

— T1a

【組織所見】

#4～#10において13×13mm大のIIa病変を，#11から#14において8×4mm大のIIb病変をみる。管状構造を呈する高分化な腫瘍細胞の増殖像をみる。いずれの病変もxanthoma cellの集簇をともなう。

【組織診断】

Adenocarcinoma, stomach
IIa, 13×13mm, tub1, pT1a, UL(−), ly(−), v(−), pHM0(5mm), pVM0, pR0
IIb, 8×4mm, tub1, pT1a, UL(−), ly(−), v(−), pHM0(5mm), pVM0, pR0

病理組織像

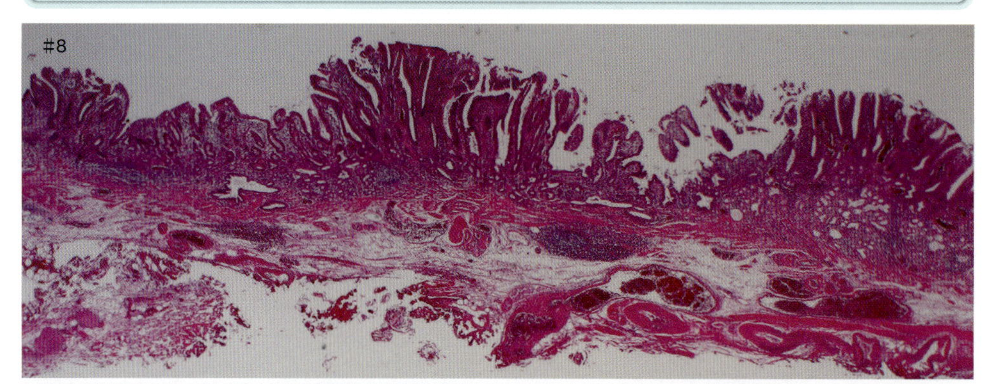

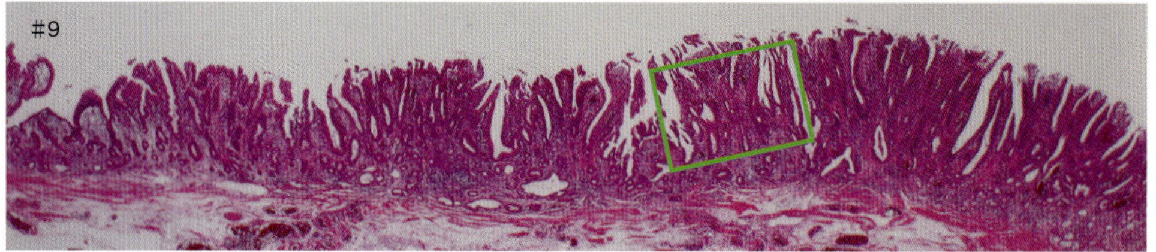

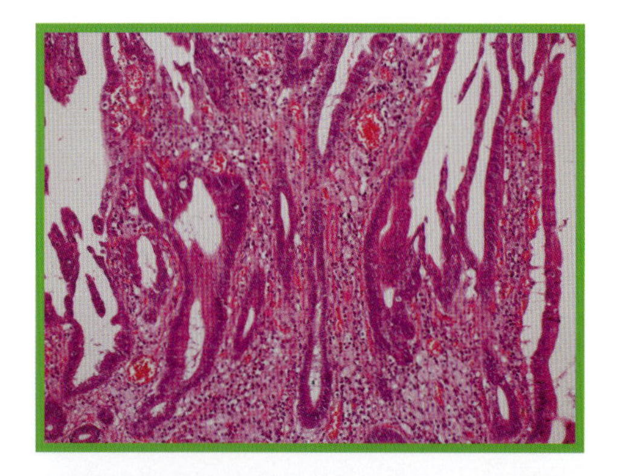

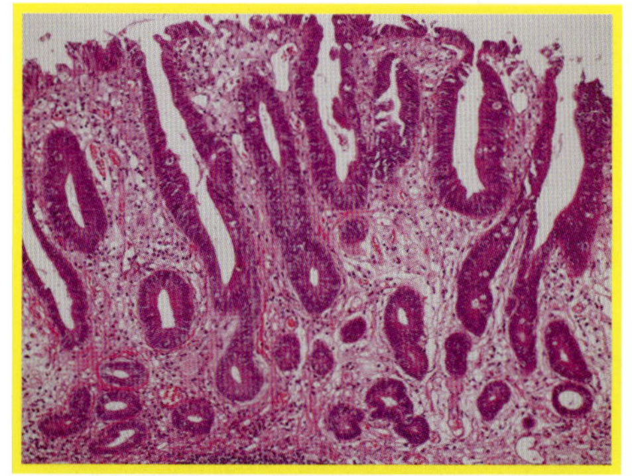

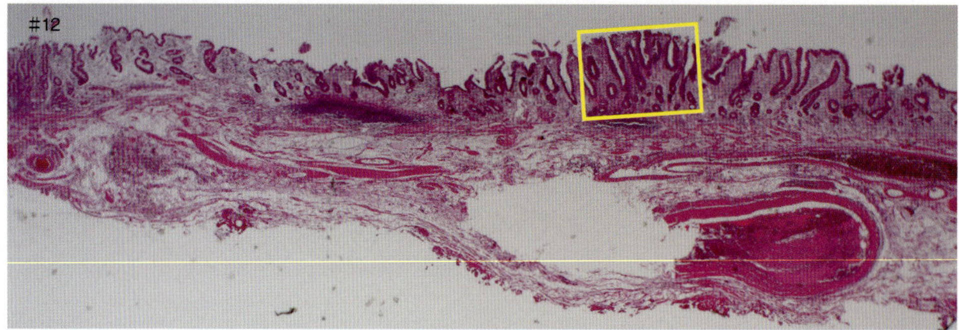

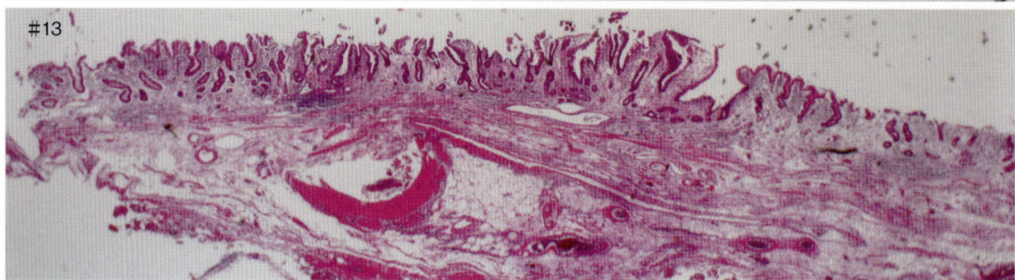

Early gastric cancer

0-IIc, 10mm, sig, L, Great/Post

Demonstrator—Dr. 梅垣英次，Dr. 町田浩久

白色光像	インジゴカルミン散布像

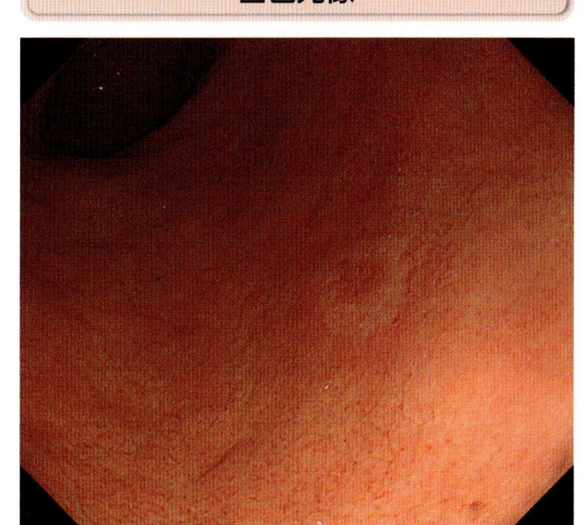

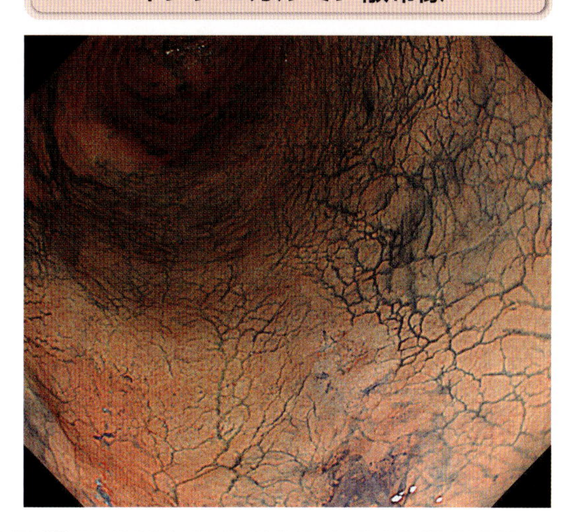

【症例】

60歳台女性。胃部不快感を主訴に上部消化管内視鏡検査を施行したところ，胃体下部大彎に白色斑を認め，生検にて signet ring cell carcinoma であったため，治療目的に紹介。逆流性食道炎で rabeprazole 内服中。

診断を梅垣が，治療を町田が担当。IT ナイフ2とトラクションデバイスを使用し効率的な剥離を提示した。

精査時の内視鏡像

白色光像	NBI

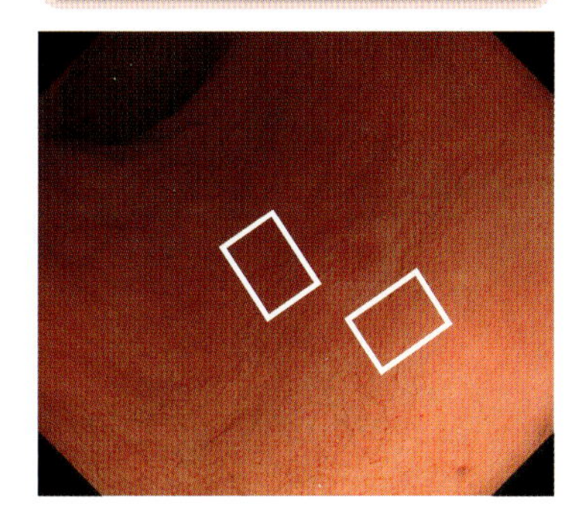

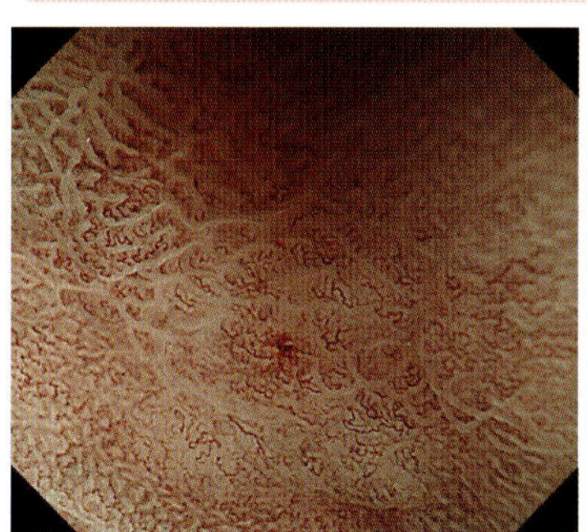

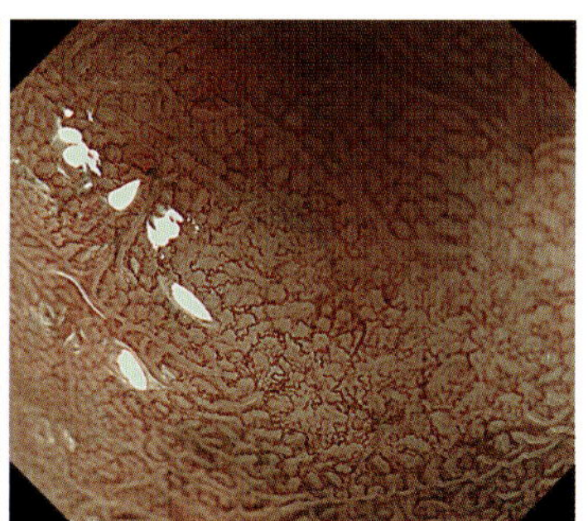

Microvessel pattern；irregular, corkscrew
Microsurface pattern；irregular
Demarcation line；clear

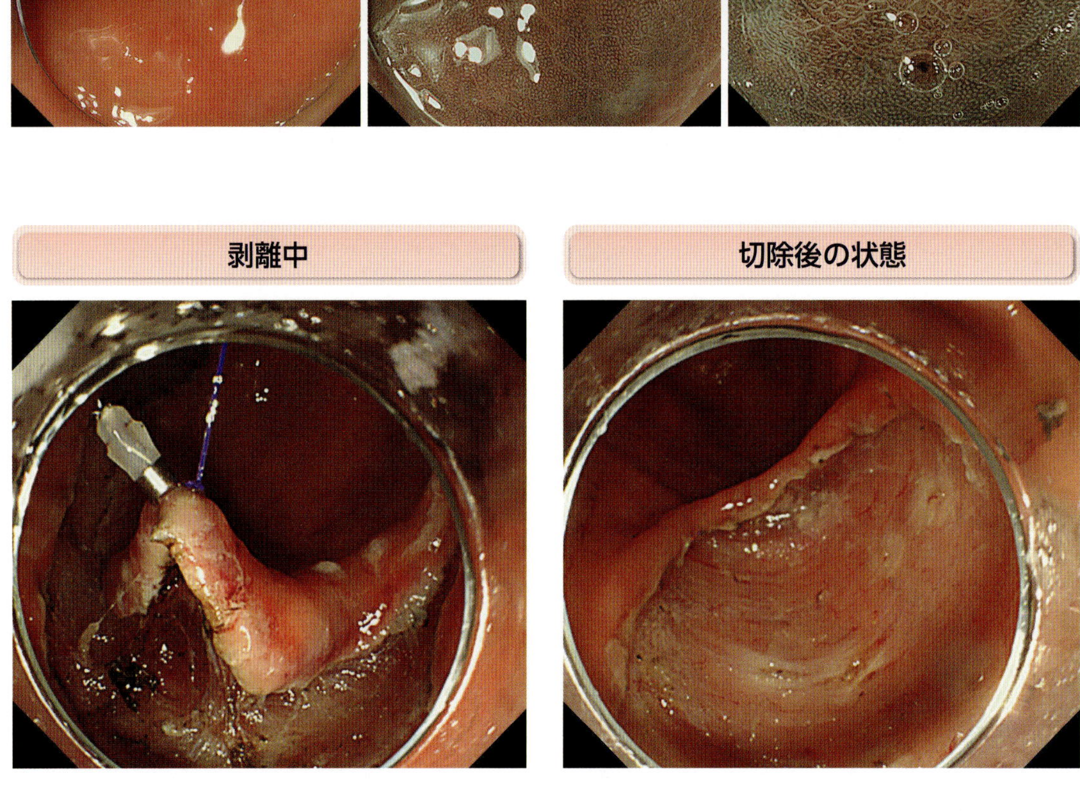
当日の内視鏡像
剥離中
切除後の状態

切除標本

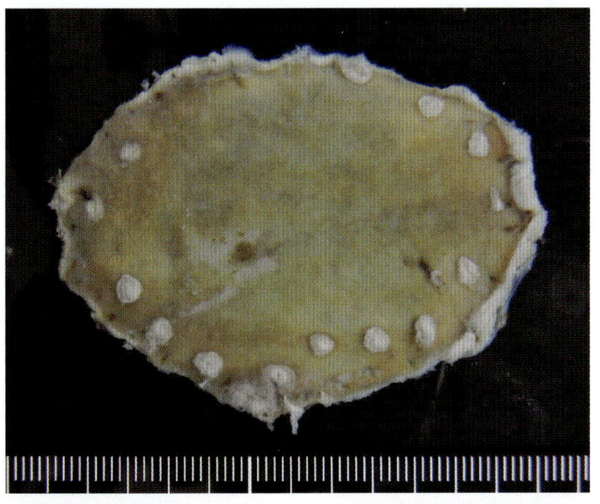

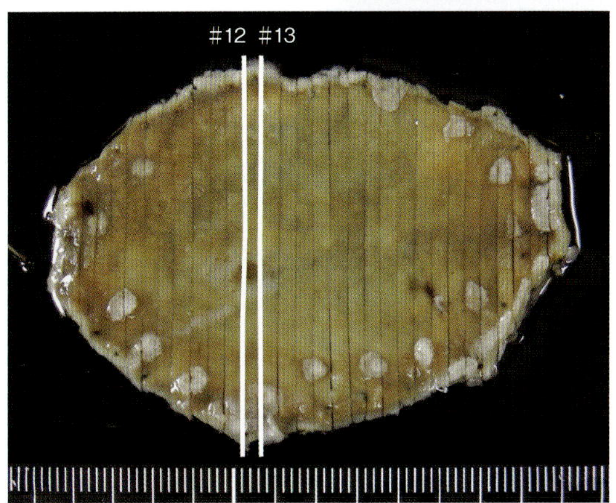

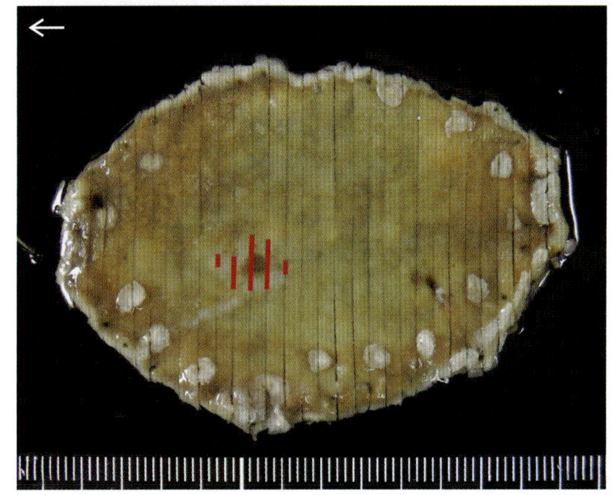

【組織所見】

切除標本の大きさ65×45 mm，31切片を作成。＃10～＃14において9×7 mm大のIIc病変を認める。粘膜表層部を中心に印環細胞の増殖像をみる。粘膜下層への浸潤は認めない。

【組織診断】

Adenocarcinoma, stomach
IIc，9×7mm，sig, pT1a，UL(−)，ly(−)，v(−)，pHM0(16 mm)，pVM0

病理組織像

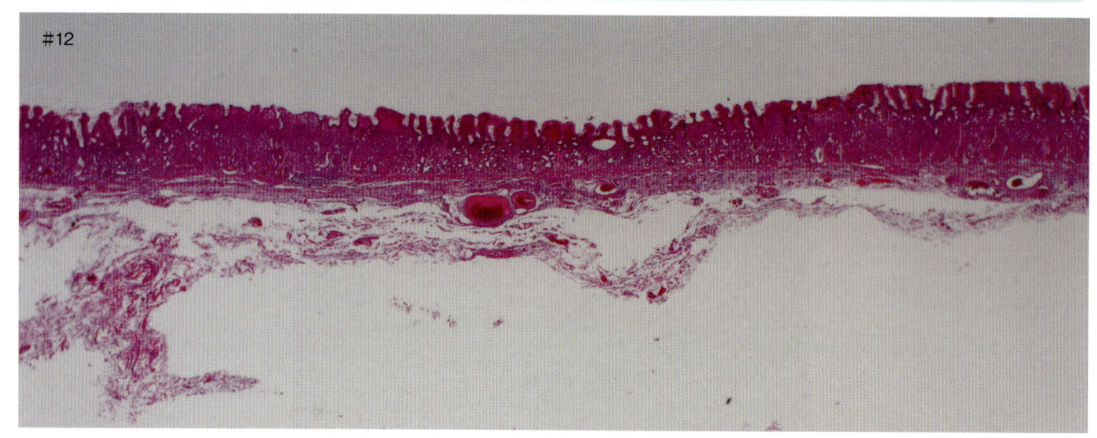

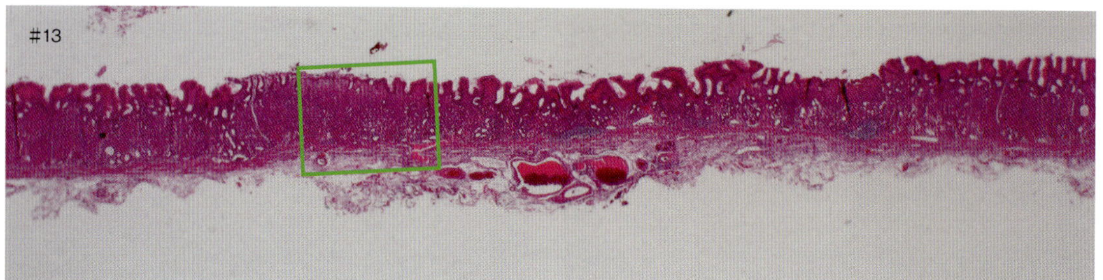

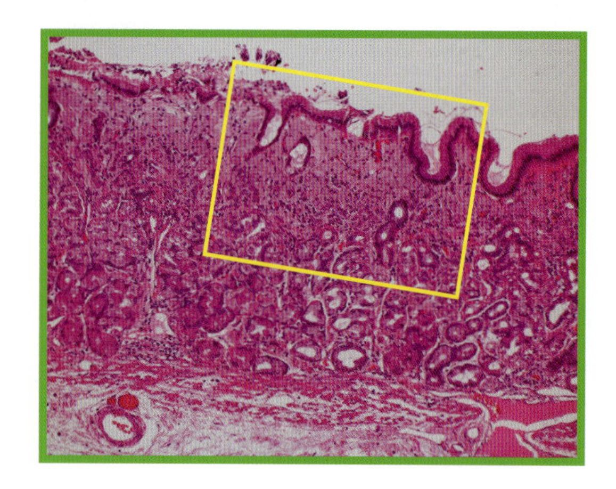

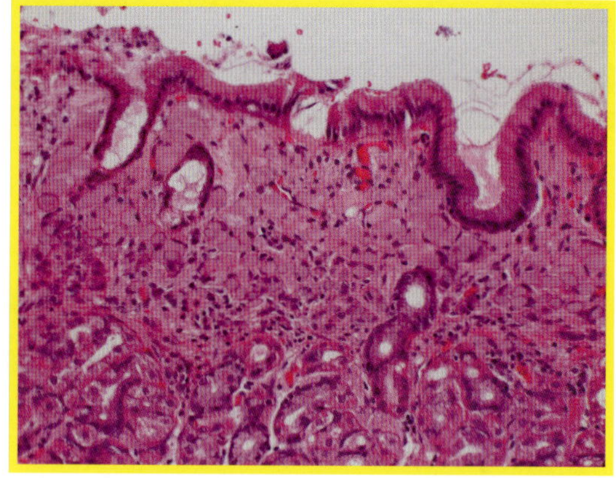

Kinki Live Endoscopy

2018

Early gastric cancer

0-IIc, 25 mm, M, Less

Demonstrator — Dr. **道田知樹**，Dr. **平澤　大**，Dr. **森田圭紀**

白色光像

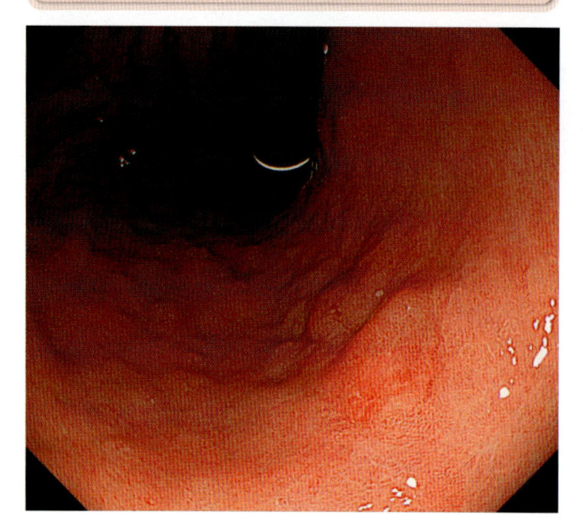

インジゴカルミン散布像

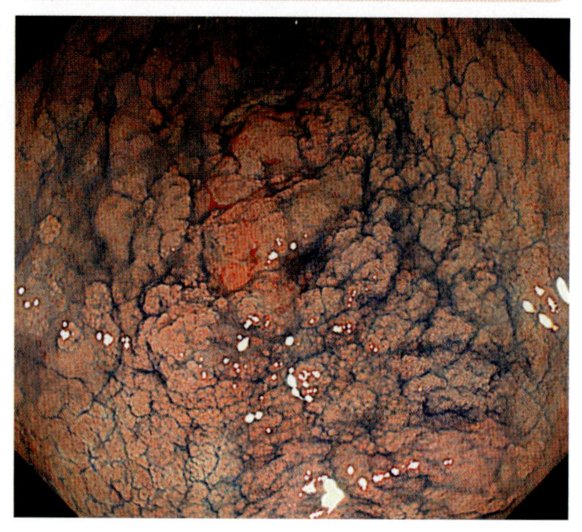

【症例】

70歳台男性。心窩部不快感の精査目的で行った上部消化管内視鏡検査で胃体下部小弯にIIc病変を指摘された。生検結果は高分化型管状腺癌。
診断を道田が，EUS※，コメンテーターを平澤，上堂がそれぞれ担当し，ULの有無と深達度，境界診断などについて活発なディスカッションが交わされた。治療は森田先生がITナイフ2とフラッシュナイフ，エンドトラックを適宜併用する手技を供覧，線維化を伴う近接困難例の対処法を考察できる症例。

※ 動画中のEUS画像の乱れはバルーンシースと組み合わせるタイプのプローブ（UM-BS20-26R）が誤って提供されためと考えられます。

精査時の内視鏡像

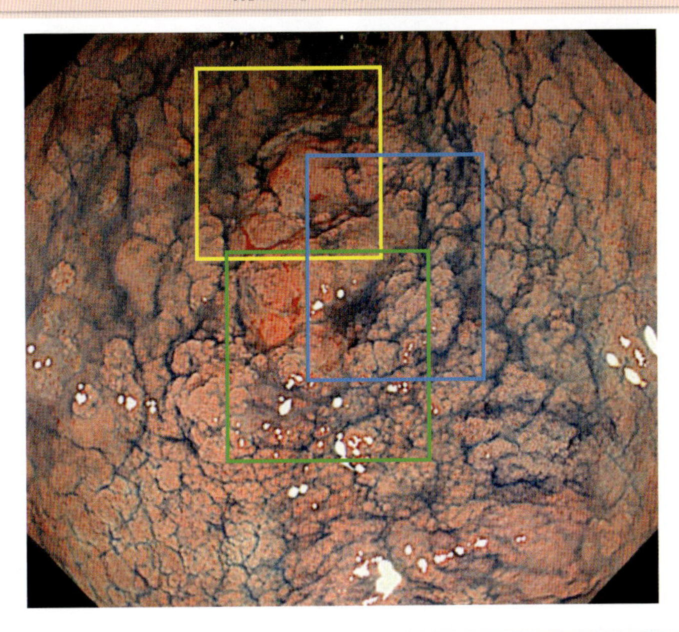

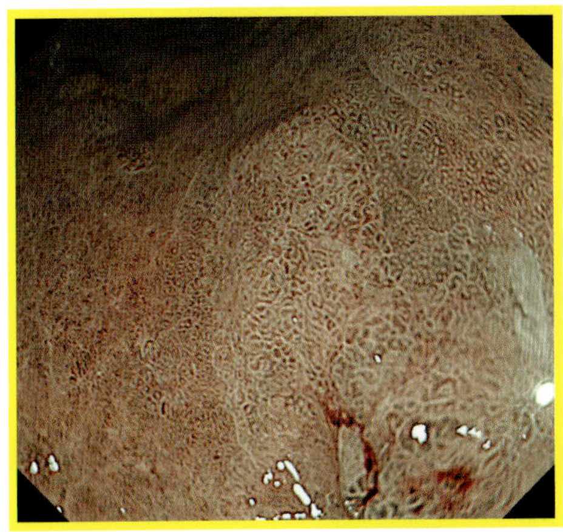

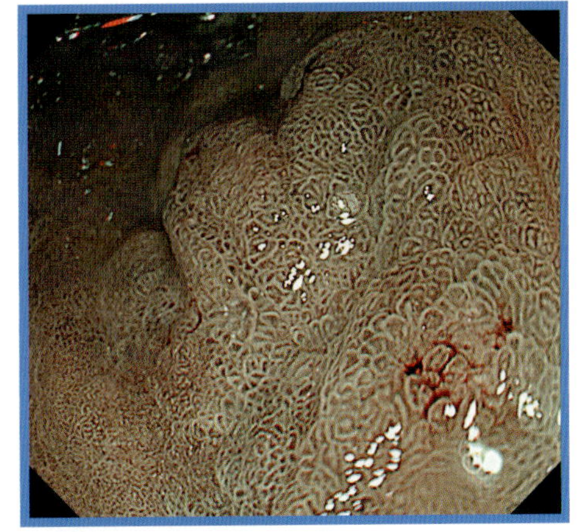

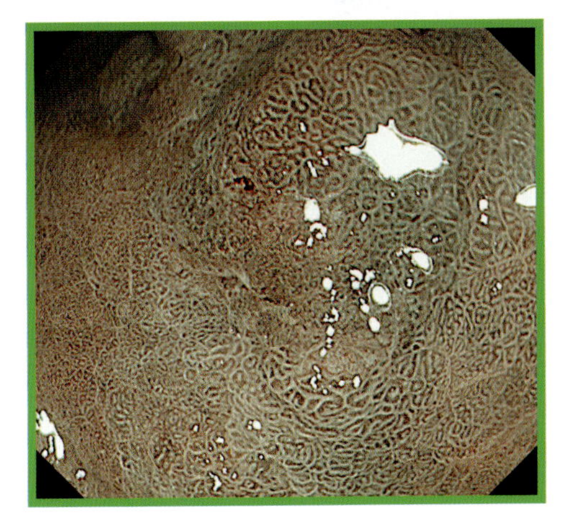

当日の映像

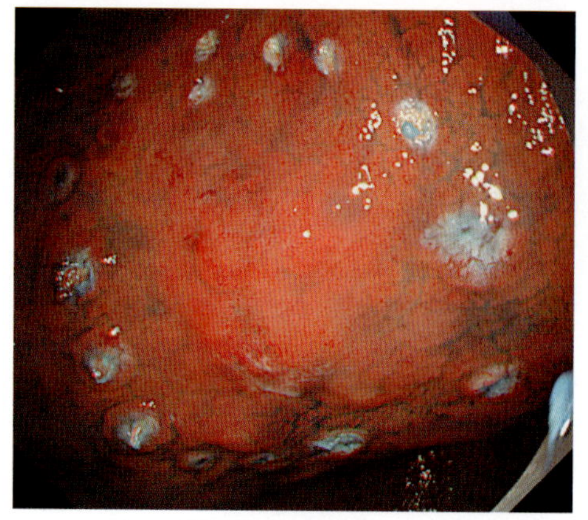

マーキング終了後近接困難が予想される

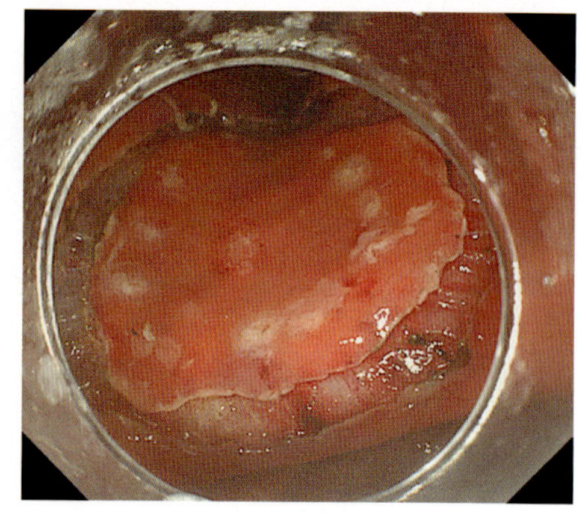

全周切開後

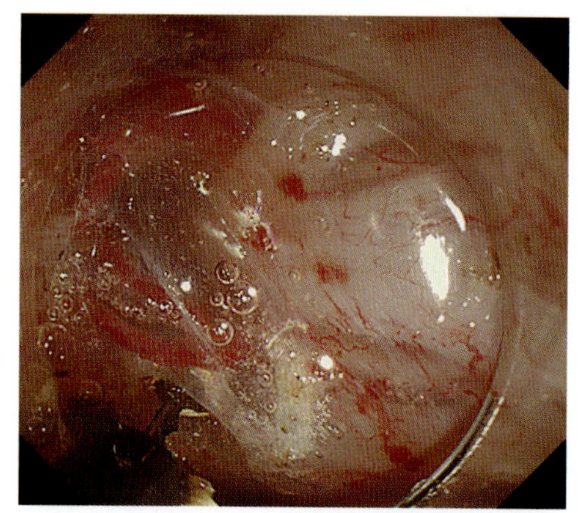

ITナイフ2による粘膜下層剥離

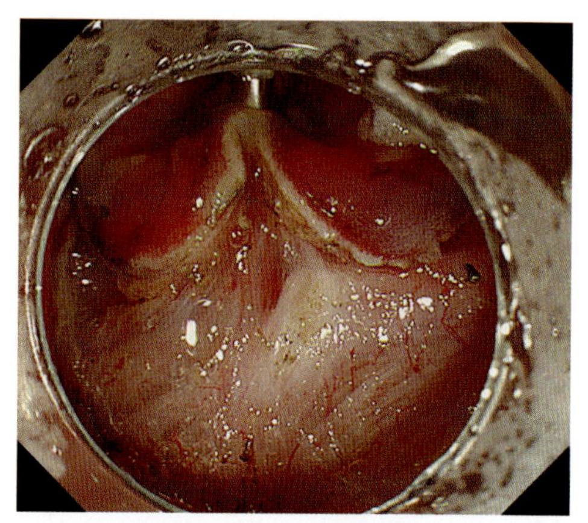

トラクション付加後

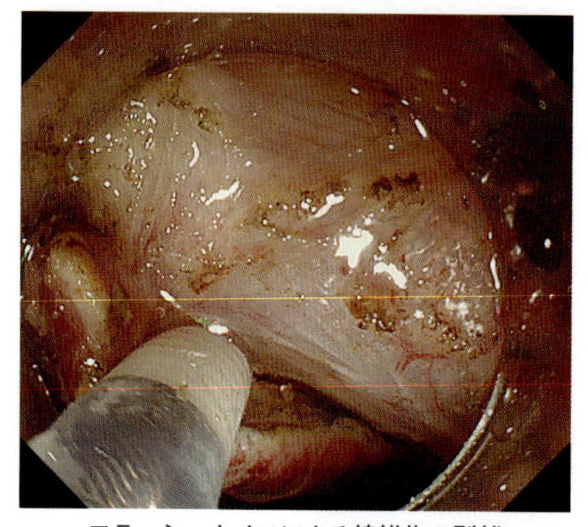

フラッシュナイフによる線維化の剥離

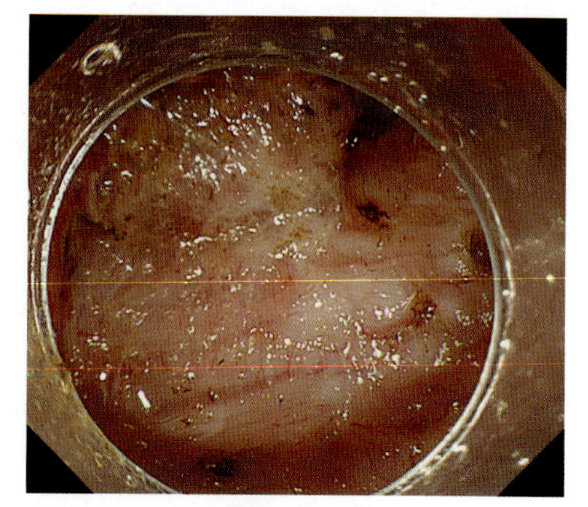

剥離終盤の像

切除後の状態

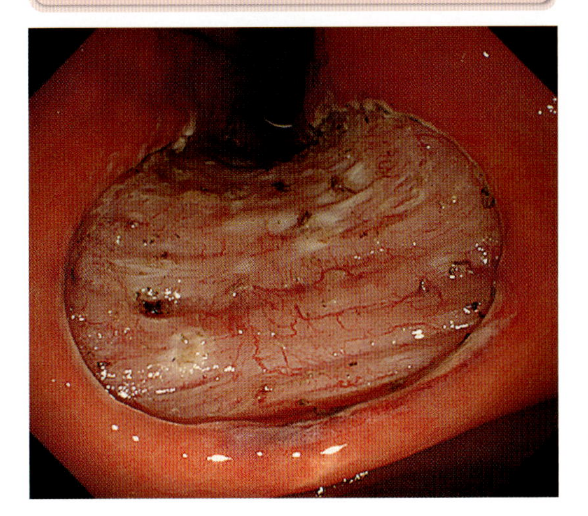

切除標本 ①

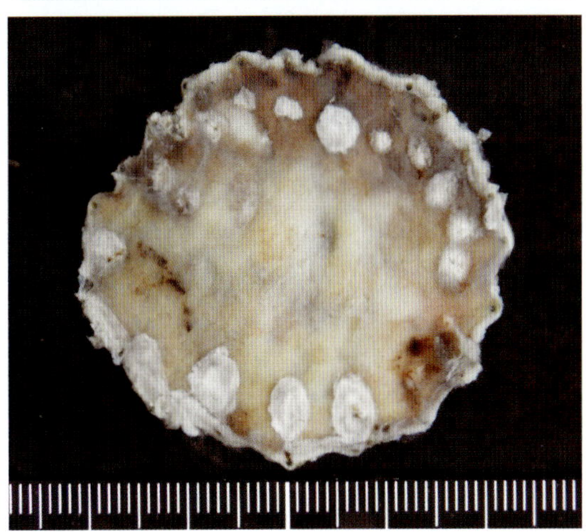

切除標本 ②

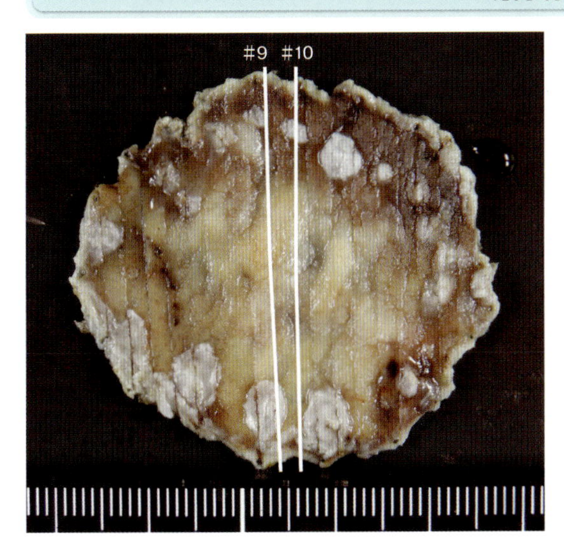

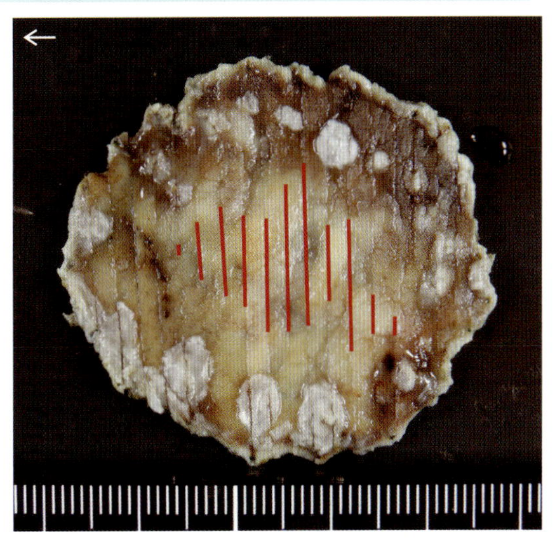

— T1a

【組織所見】

切除標本の大きさ46 × 42 mm，20切片を作製。#5～#15において20 × 16 mm大の潰瘍瘢痕を伴うIIa + IIc病変をみる。管状構造を呈する高分化な腫瘍細胞の増殖像を見る。粘膜下への浸潤は認めない。

【組織診断】

Adenocarcinoma, stomach
IIa + IIc，20 × 16 mm, tub 1，pT1a，pUL1，Ly0，V0，pHM0（10 mm），pVM0

病理組織像 ②

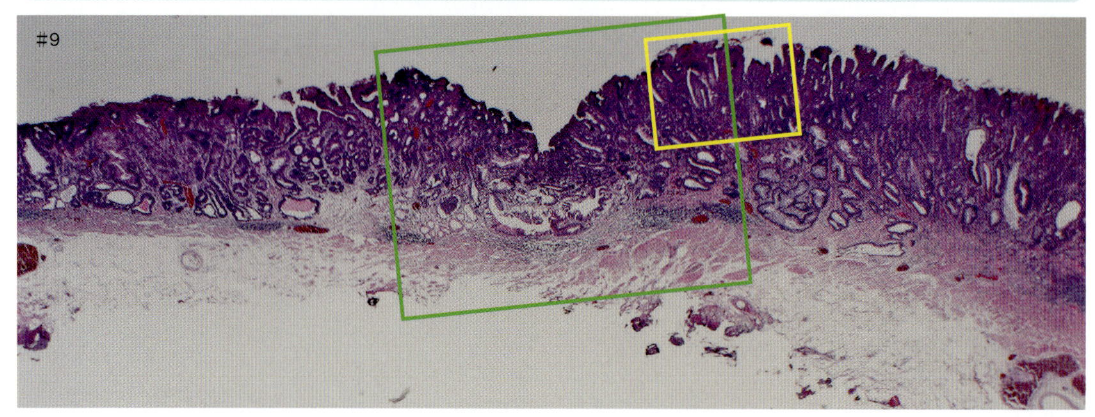

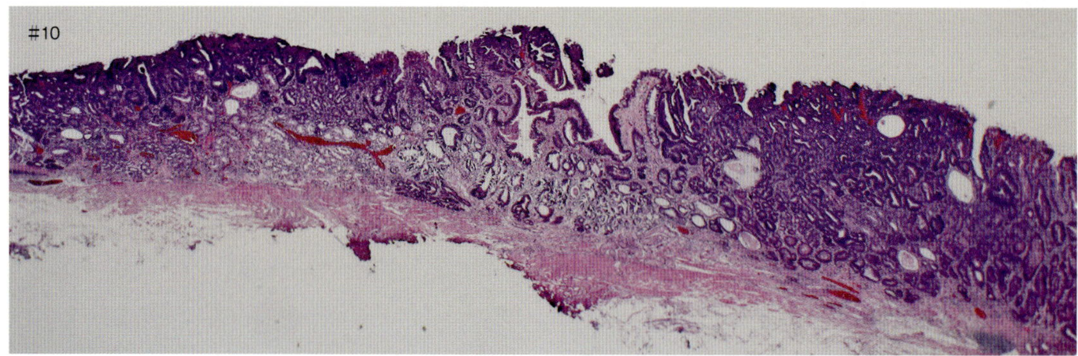

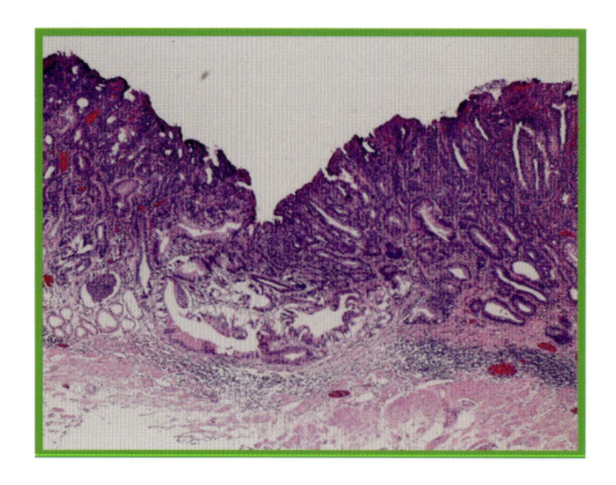

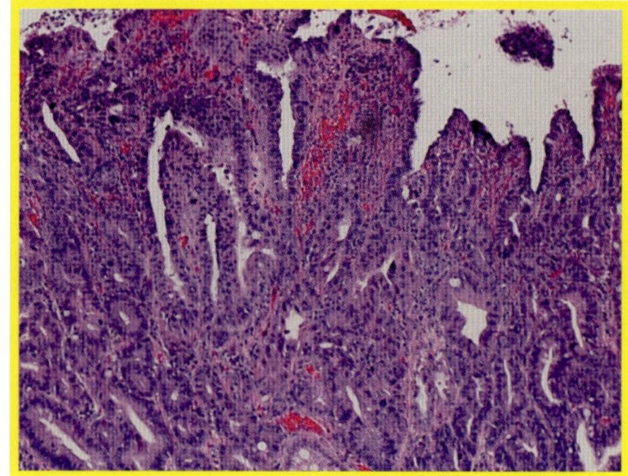

Superficial esophageal cancer, post CRT

a. 0-IIc, 20mm, Lt (35-37cm), Left/Post　b. 0-IIb, 20mm, Mt (30-32cm), Rt

Demonstrator…… Dr. 小山恒男，Dr. 竹内洋司

Case 2a（Lt）：白色光像（左），NBI（右）

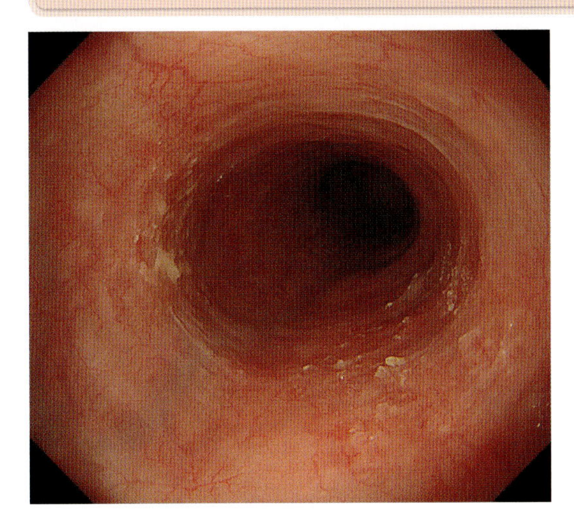

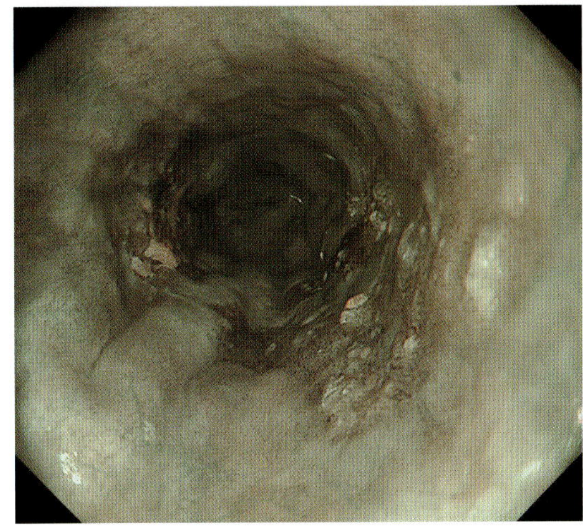

Case 2b（Mt）：白色光像（左），NBI（右）

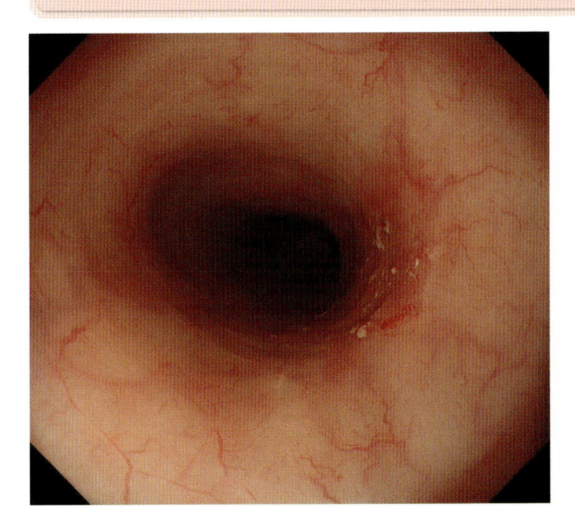

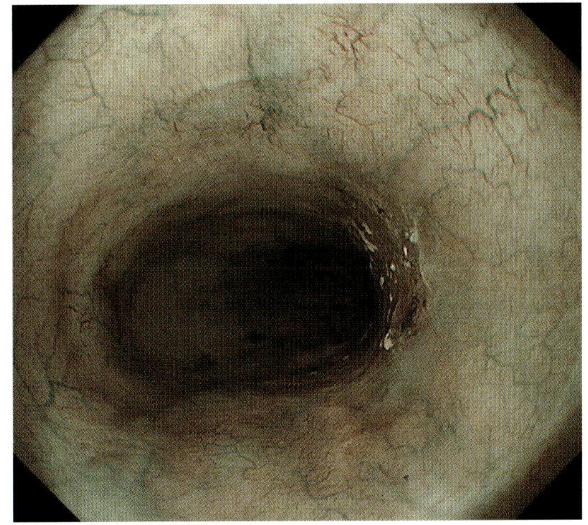

【症例】

70歳台男性。3年前に頸部食道（19～22cm）の2型進行癌および胸部中部食道（28～30cm）の0-Ⅰ＋Ⅱb病変に対して化学放射線療法（CRT）を施行され，その後のフォローアップ中，胸部下部食道および中部食道に病変を指摘された。

診断を小山先生が，胸部下部食道病変の治療を小山が，中部食道病変の治療を竹内がそれぞれ担当した。CRT後の食道の所見，NBI観察，ヨード染色下の腫瘍・非腫瘍の鑑別，境界診断，CRT後病変のESD，狭窄対策など示唆に富む症例。

当日の内視鏡画像 ①

進行癌に対する CRT 後の瘢痕

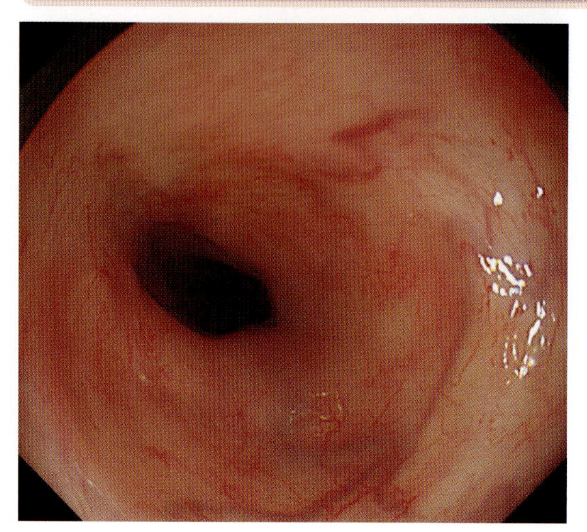

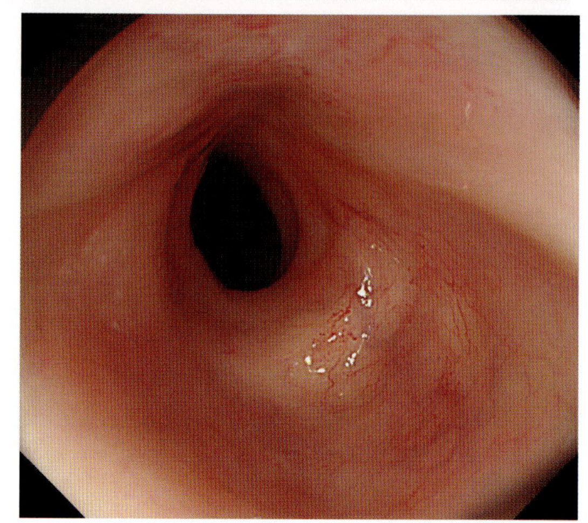

再発なく綺麗に治癒している。

口側病変（2b）の白色光像

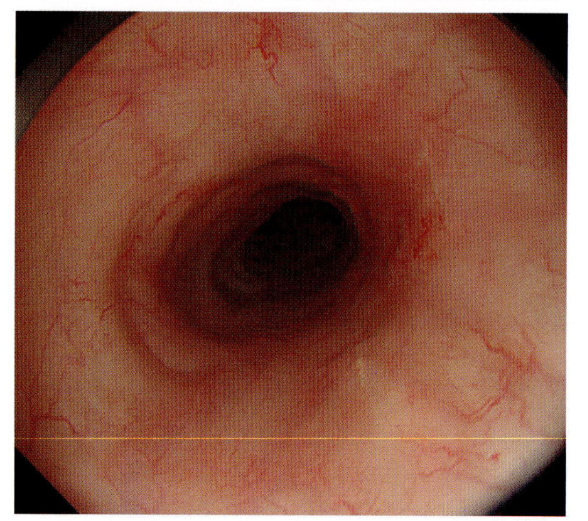

背景粘膜は通常の食道に比し血管が粗で，まばらに観察される血管が太い：Radiation esophagitisの所見。その中に発赤調の病変が見られる。12時から8時あたりまでの広い発赤であるが，12時から3時までは明らかな発赤で厚みもある。6時，7時あたりは淡い発赤。

NBI

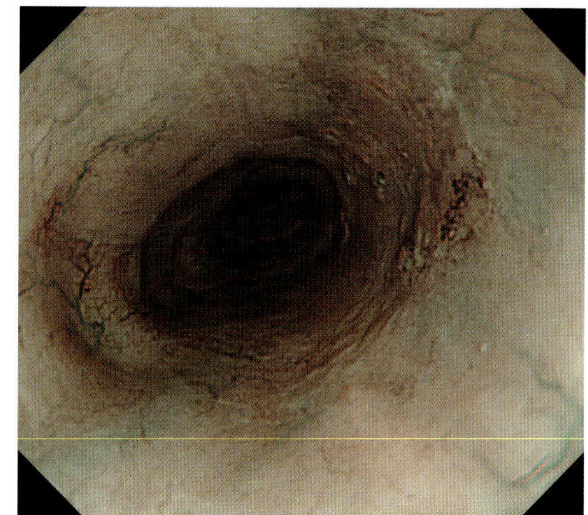

12時から4時までは明らかなbrownish area。
後壁左壁方向にも薄いbrownish areaを認める。
同部が癌かどうかの診断が問題となる。

当日の内視鏡画像 ②

非病変部の NBI 拡大観察

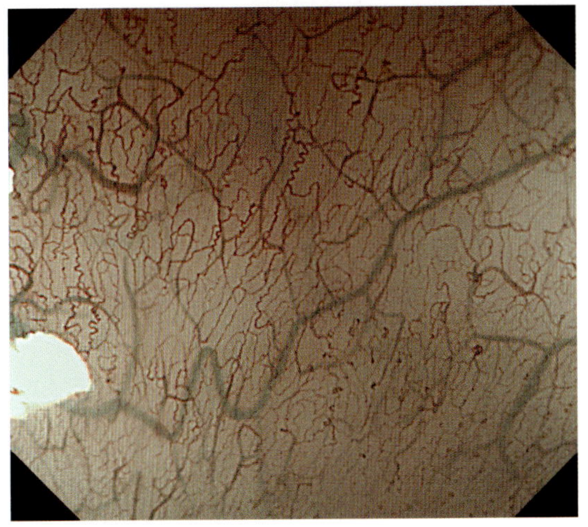

Subepithelial capillary network が観察される。口径不同などのないregularな血管。

口側病変左壁側の brownish area 部の拡大像

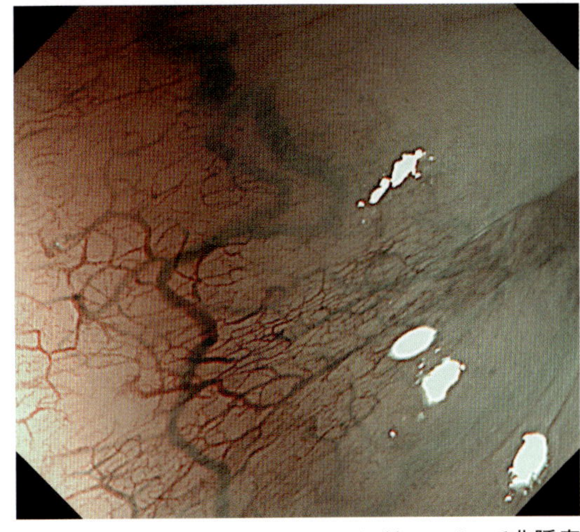

Subepithelial capillary network はregularで非腫瘍と診断。ヨード染色では上皮が薄くなっているため淡染となる。注意が必要。

腫瘍部の NBI 拡大観察像

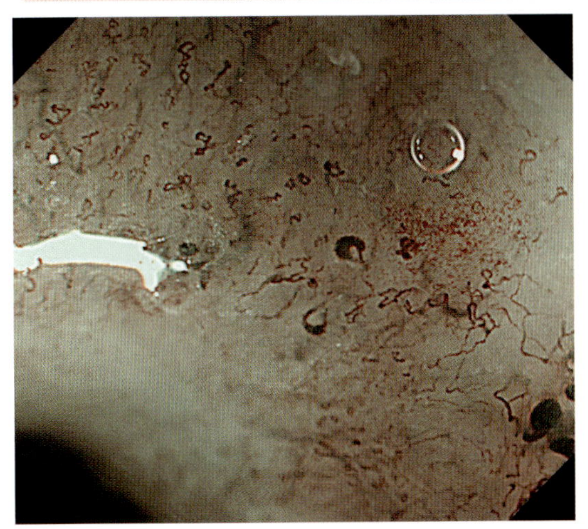

明らかに不整なB1血管が観察される。B2血管も認められるが平坦であり放射線の影響を加味すると浅い病変と考えられる。

後壁側、腫瘍部と非腫瘍部の境界部の NBI 拡大観察像

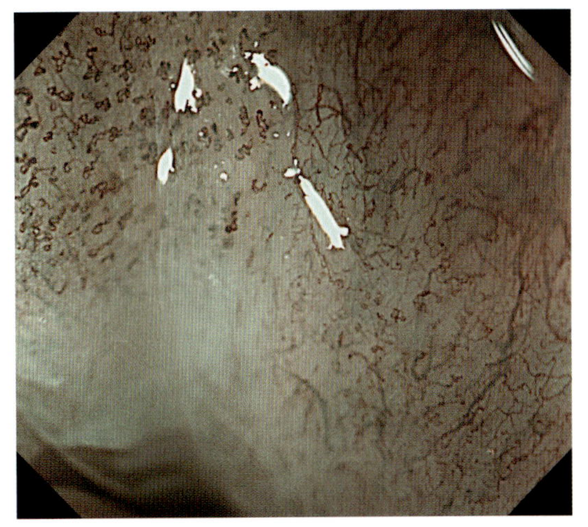

フロントが明瞭に観察される。画像右側はbrownishであるが上皮が薄くなっているためであり、血管の所見から非腫瘍（スコープの回転で対象を0時方向にもってきている）。

ヨード染色像

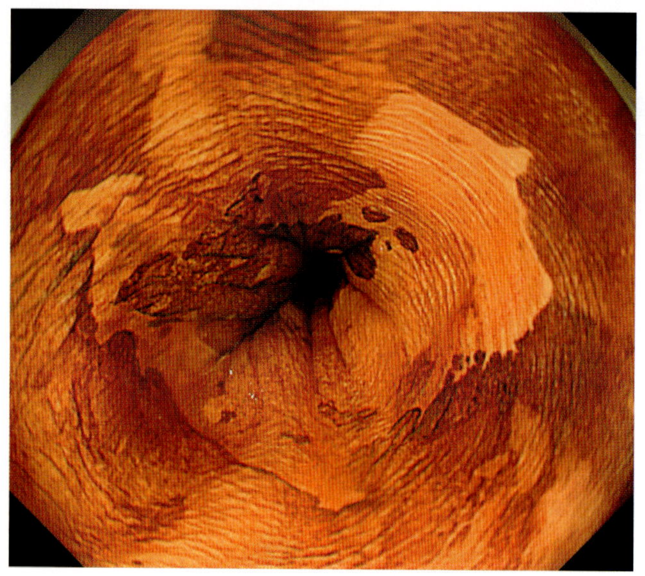

予想通り非腫瘍と診断した領域もヨード淡染となっている。ヨード染色のみに頼ると亜全周性切除を行うことになる。

ヨード染色後 NBI 観察下のマーキング

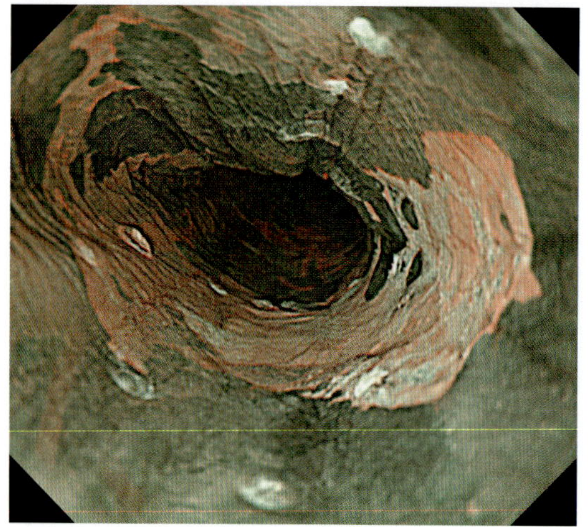

染色前のNBI拡大観察像およびシルバーメタリックサインを参照しマーキングを行った。

マーキング後の状態

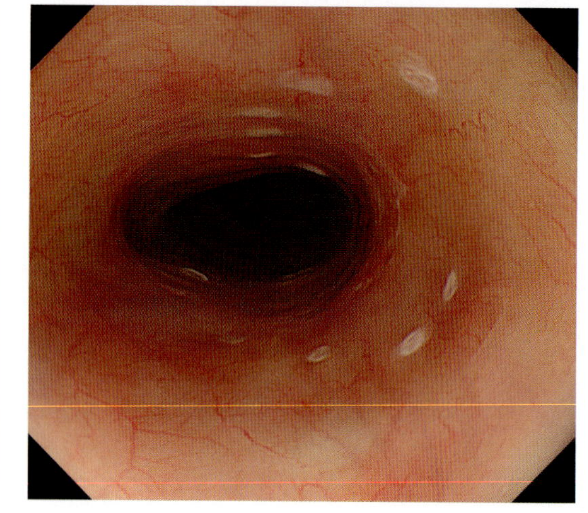

切除後の状態

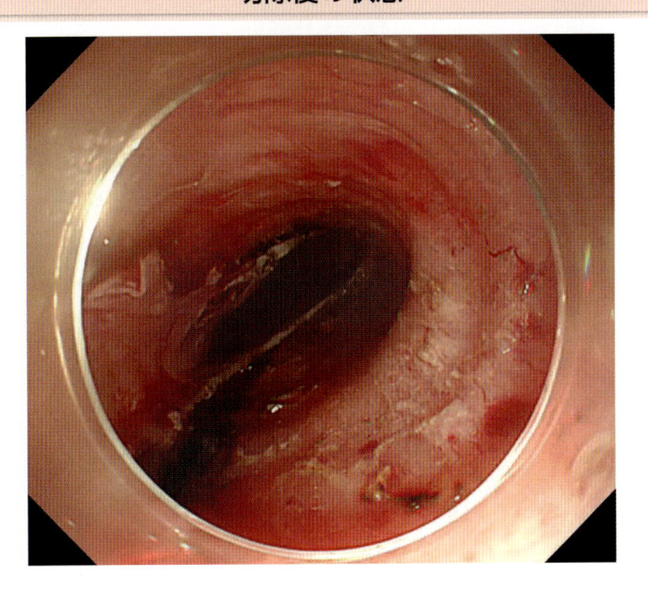

切除標本（Case 2b）

病理組織像

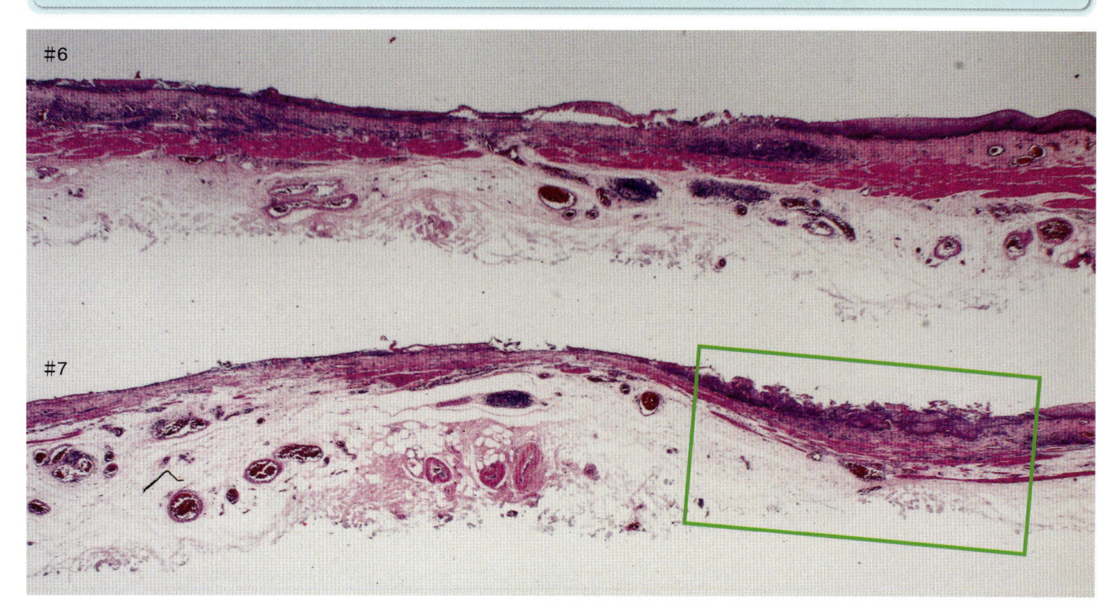

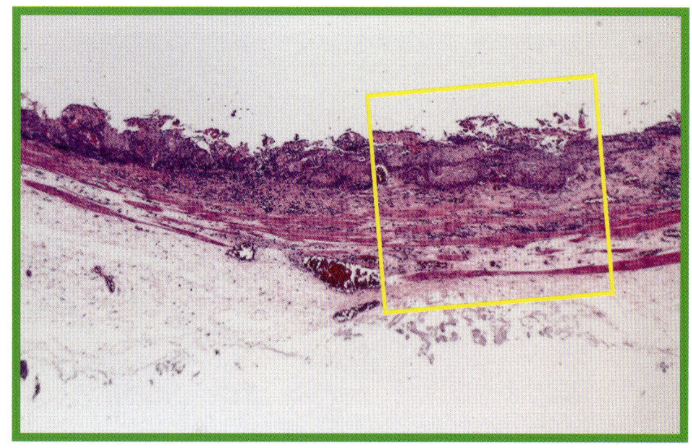

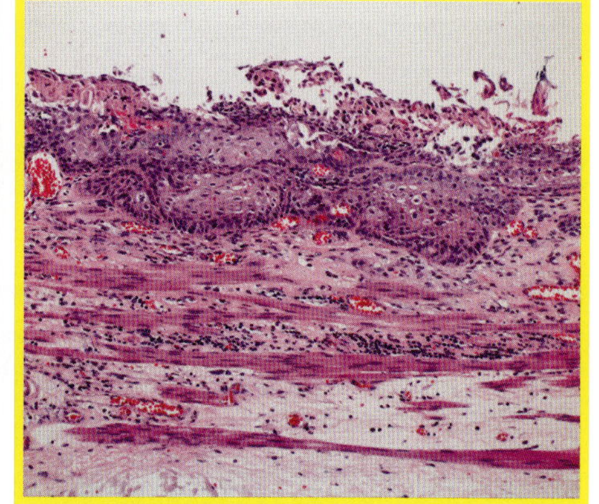

【組織所見】

切除標本の大きさ33×20 mm，14切片を作製。#3～#10において21×16 mm大のIIc病変をみる。上皮内癌像を示す。#7では幅1.6 mmにおいて固有層内浸潤をみる。#8では断端陽性となる（ピンの穴に割が入ったためで実際には断端陰性）。#11～#14では明らかな上皮内癌像は認めず、扁平上皮内腫瘍と考えられる。

【組織診断】

Squamous cell carcinoma, esophagus
IIc, 21×16 mm, SCC (mod), pT1a-LPM, pHM1, pVM0, INFb, ly (−) D2-40, v (−) EVG, pR1, pCur C

病変間の NBI

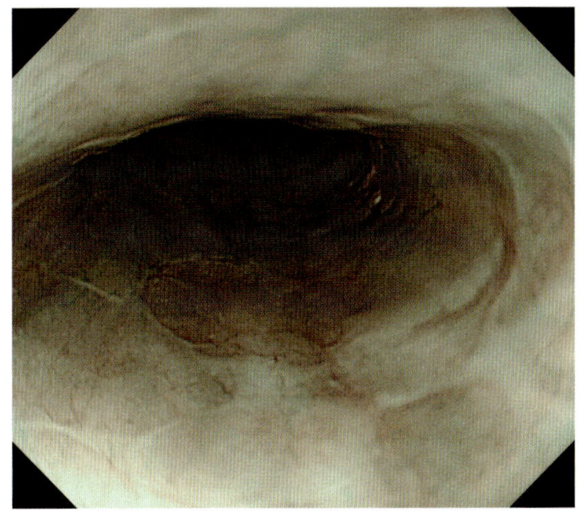

この症例は他にもbrownish areaが多数存在。これらもヨード染色では淡染になる。

Brownish area の NBI

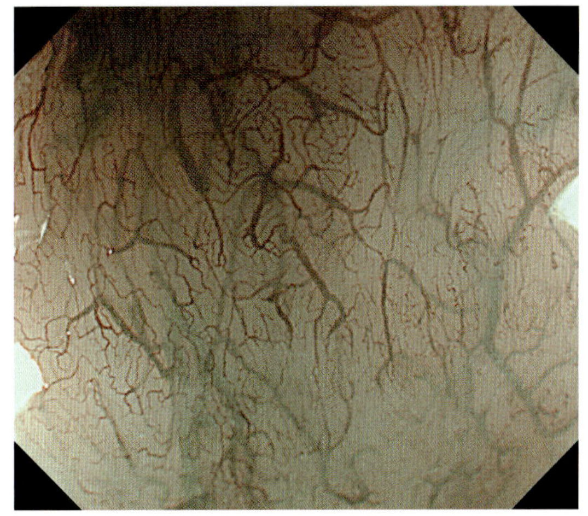

Subepithelial capillary network はregularで非腫瘍。NBIの普及とともにこのようなfocal なatrophが紹介される機会が増えている。

肛門側病変左壁側の NBI

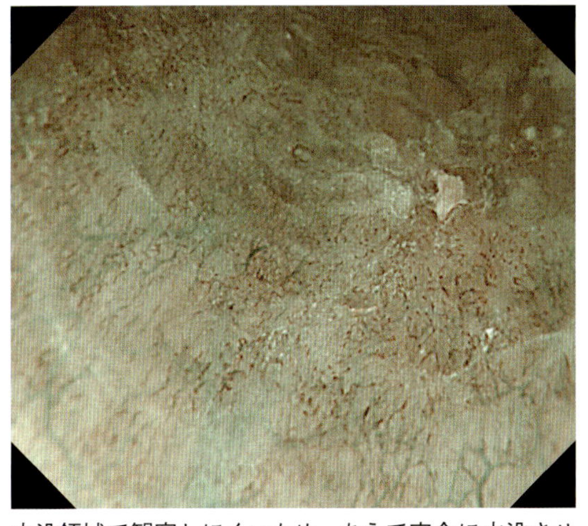

水没領域で観察しにくいため、あえて完全に水没させている。まばらにB1血管が観察される。

前壁側の NBI

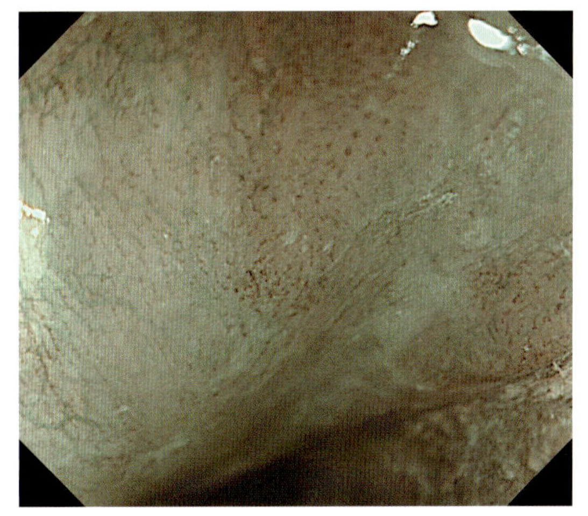

腫瘍（右）と非腫瘍（左）の境界が明瞭に観察される。

ヨード染色像

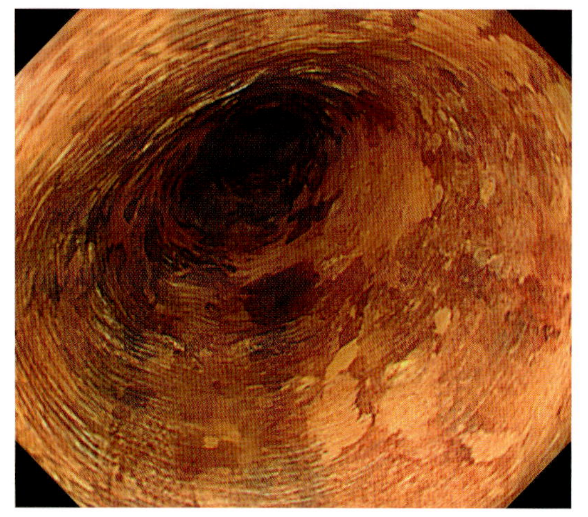

病変部以外にも多数の淡染域が認められる。

水浸下の観察

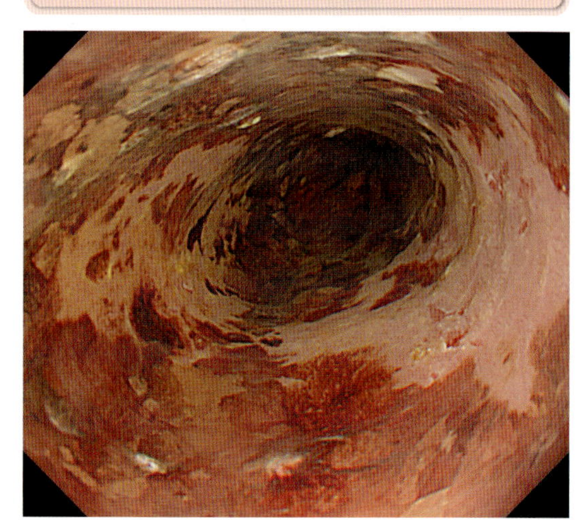

マーキング後の状態

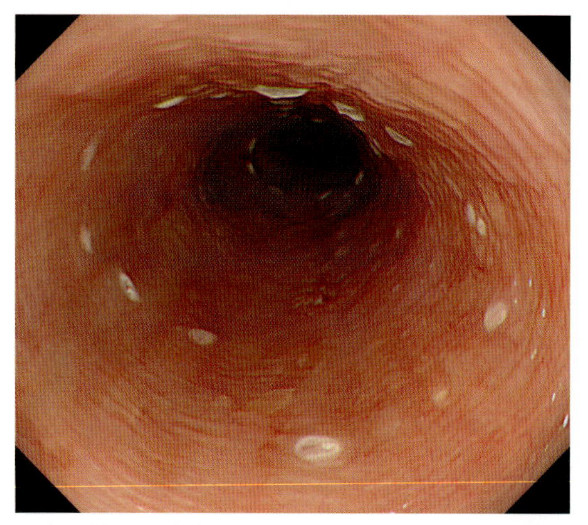

亜全周性かつ淡染域が多数介在しているため全周性切除の方針を選択。背景粘膜には通常の血管が認められ放射線照射野外と認識できる。

切除後の状態

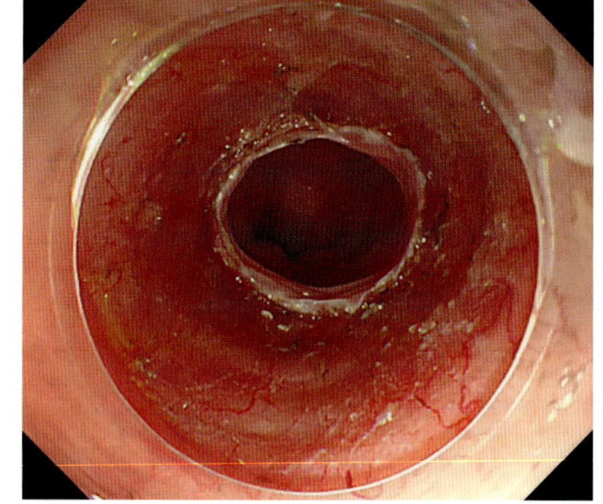

切除標本（Case 2a）

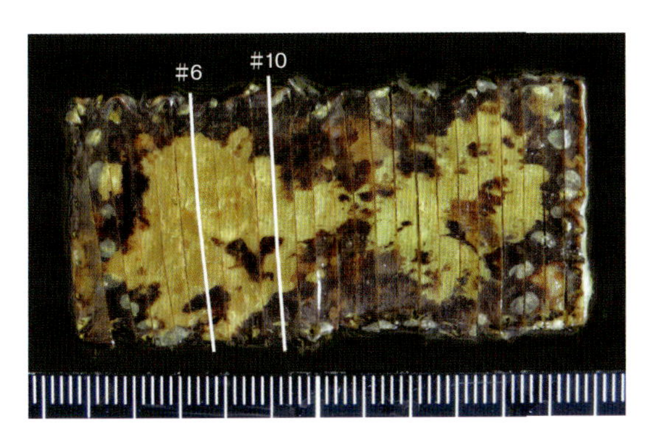

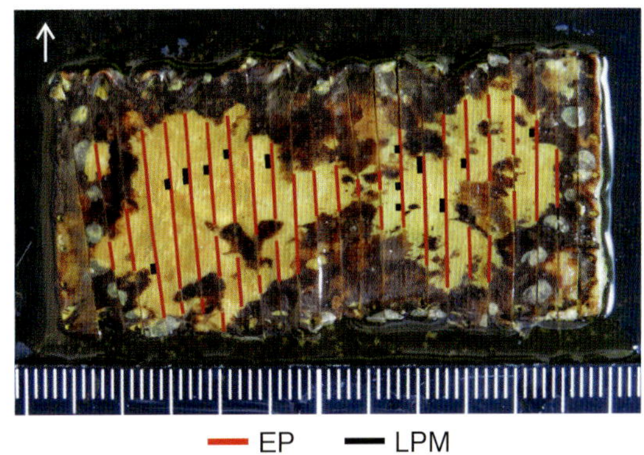

【組織所見】

切除標本の大きさ57×22mm，25切片を作製。ヨード不染域に一致して49×19mm大のIIc病変をみる。大部分は上皮内癌像を示すも島嶼状に粘膜固有層浸潤を見る。

【組織診断】

Case 2a；Squamous cell carcinoma，esophagus
IIc，49×19mm，SCC (mod)，pT1a-LPM，pHM0 (3mm)，pVM0，INFa，ly (−) D2-40，v (−) EVG，pR0，pCur A

病理組織

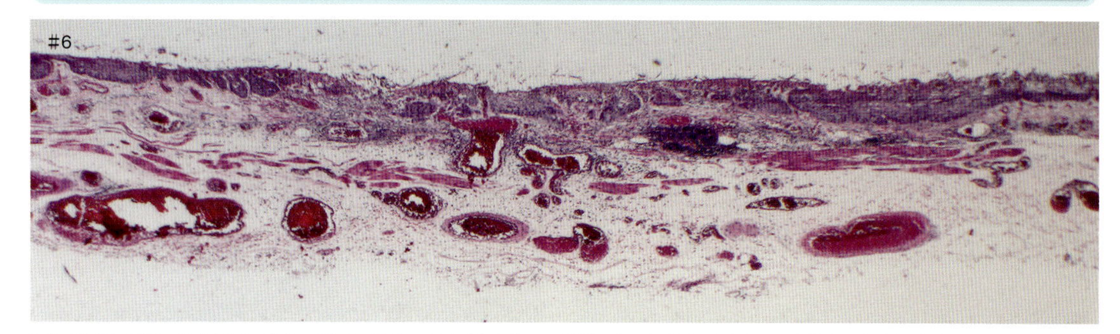

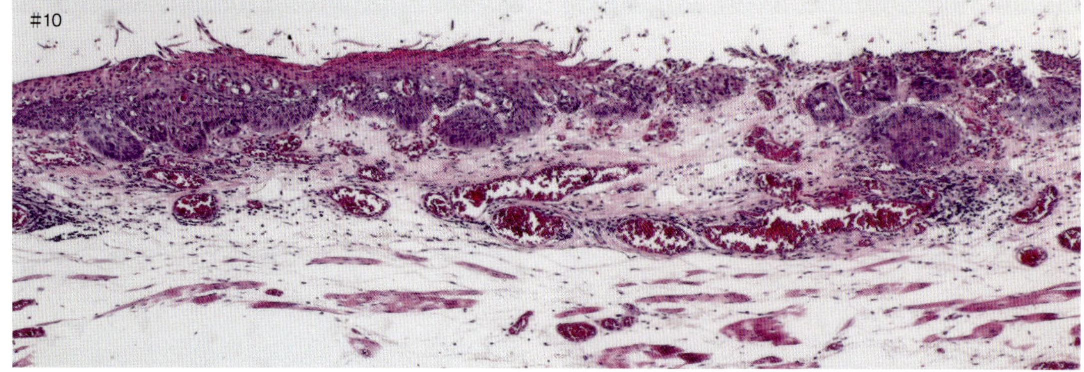

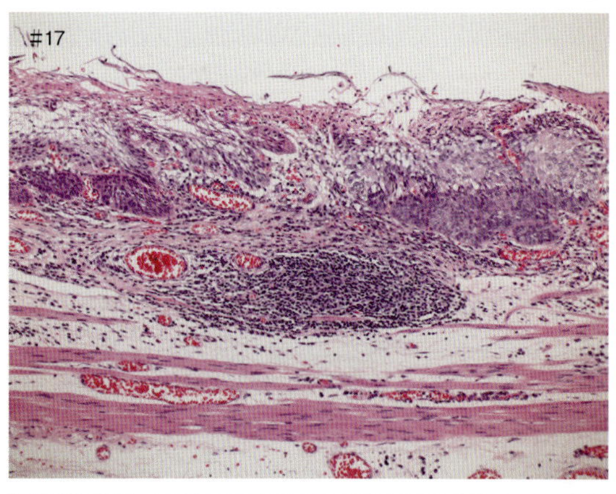

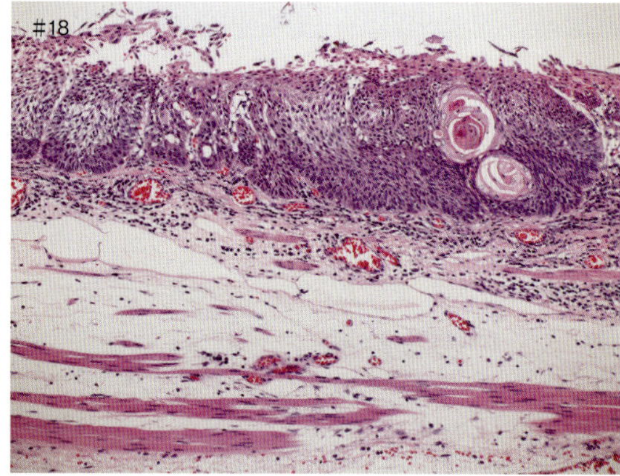

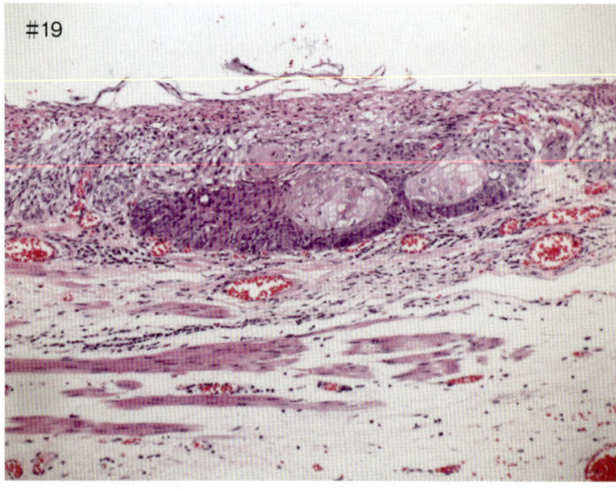

半年後の内視鏡像（Case 2a）

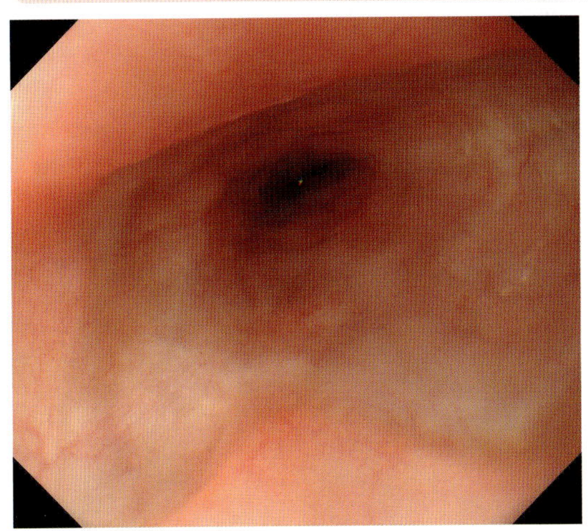
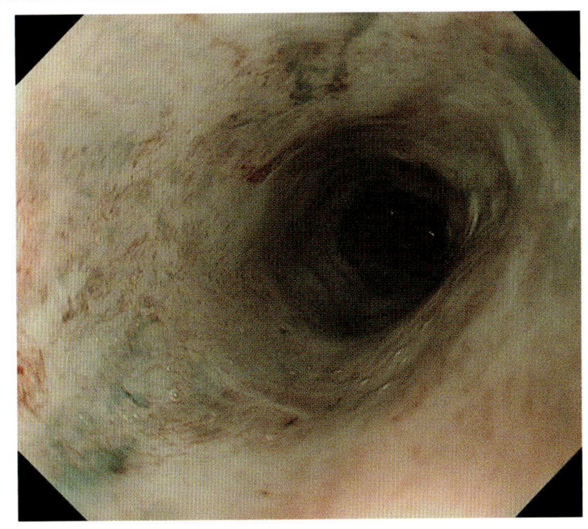

4回のバルーン拡張を要したが狭窄は解除されている。

半年後の内視鏡像（Case 2b）

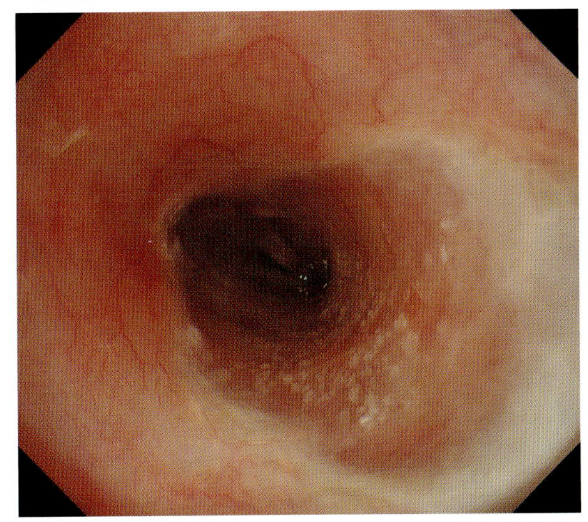
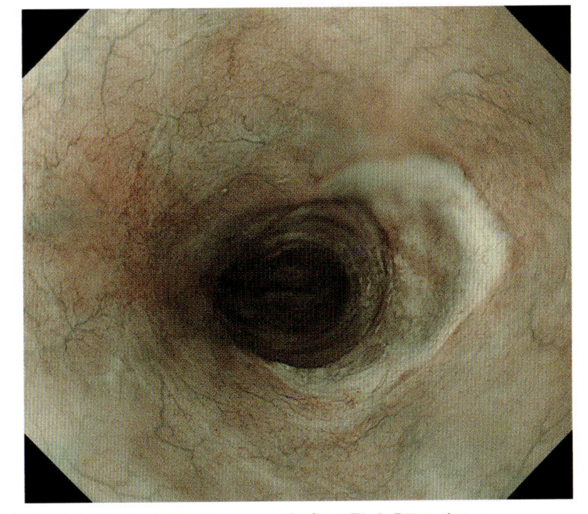

当日のステロイド局注のみでESD後潰瘍は狭窄を来すことなく治癒した。遺残再発も認めない。

2018 Case 3

Early colon cancer

LST-G (MIX), 30mm, T

Demonstrator…… Dr. 山本克己

白色光像

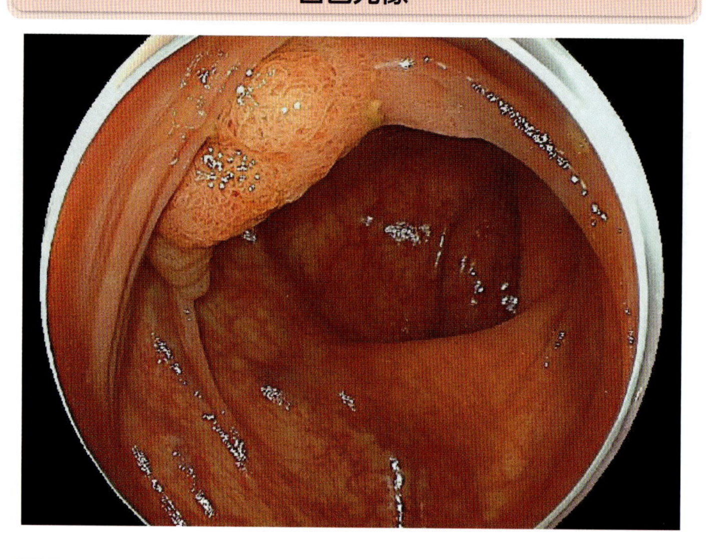

インジゴカルミン散布像

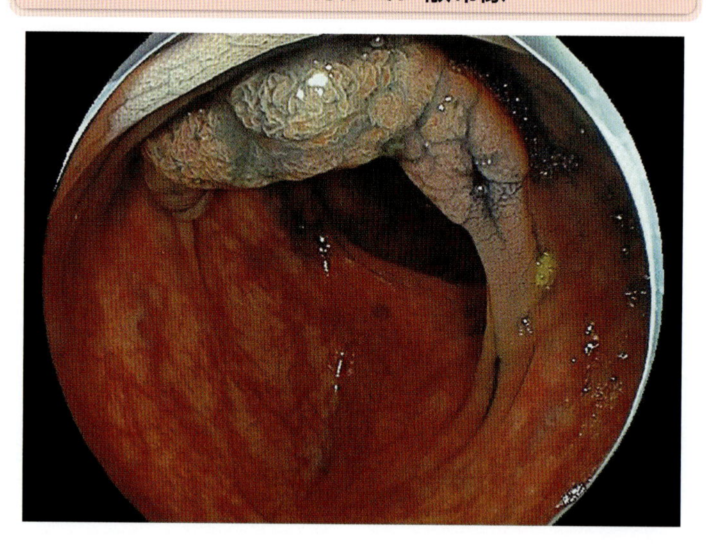

【症例】

60歳台女性。スクリーニングの下部消化管内視鏡検査にて，肝湾曲にLST-granular typeを認めた。

診断・治療を山本が担当した。一見平易そうに見えるが，ことによると操作性不良・呼吸性変動が問題となる症例。予想外に潜り込み困難，線維化，脂肪の影響が見られたが，道田が師弟愛あふれるコメントと介助で応援し，山本は見事に困難な状況に対処した。

当日の内視鏡画像 ①

白色光像

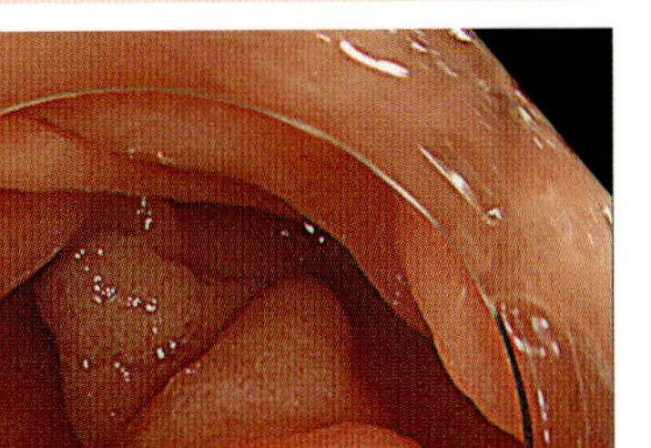

NBI 弱拡大

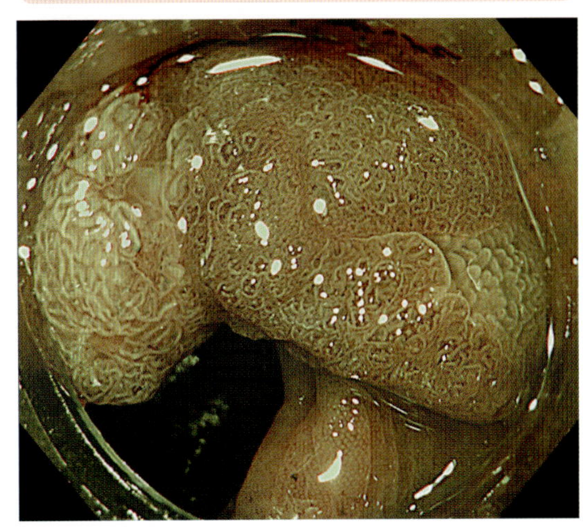

インジゴカルミン散布像

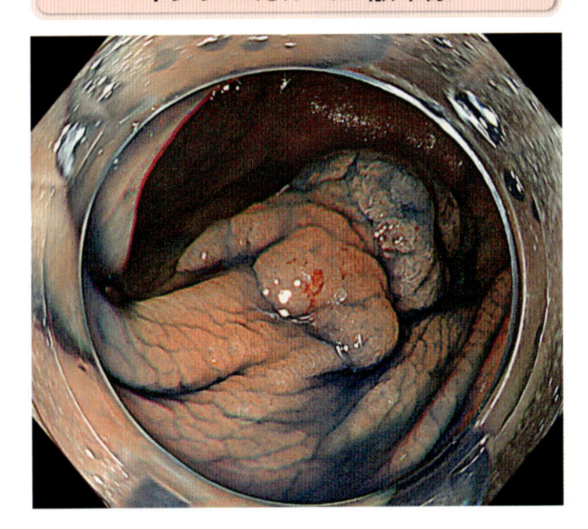

屈曲部に存在し操作性は不良，さらに呼吸性変動も問題。

当日の内視鏡画像 ②

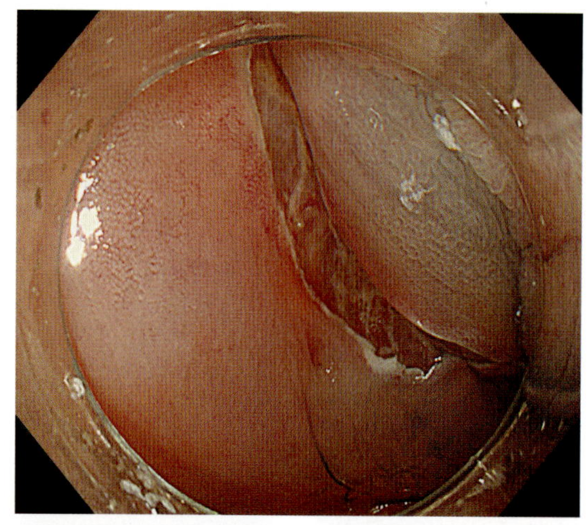

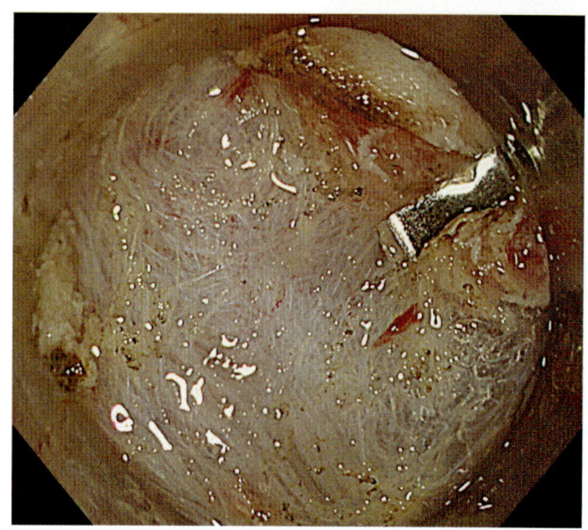

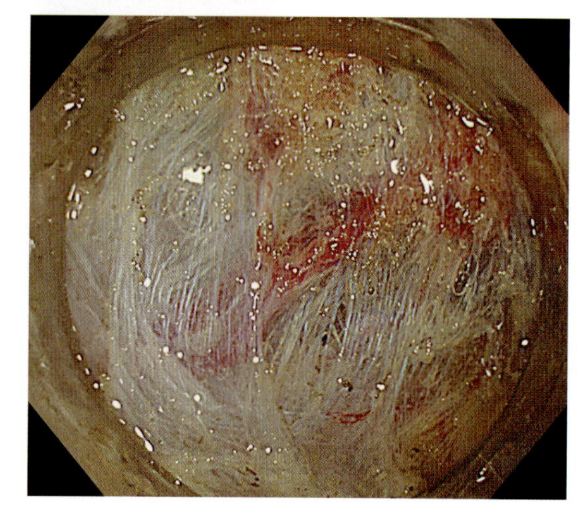

潜り込み困難な状況であった。切開縁にクリップを装着し展開した（Clip flap法）。
予想外にF1の線維化を認めた。

切除後の状態

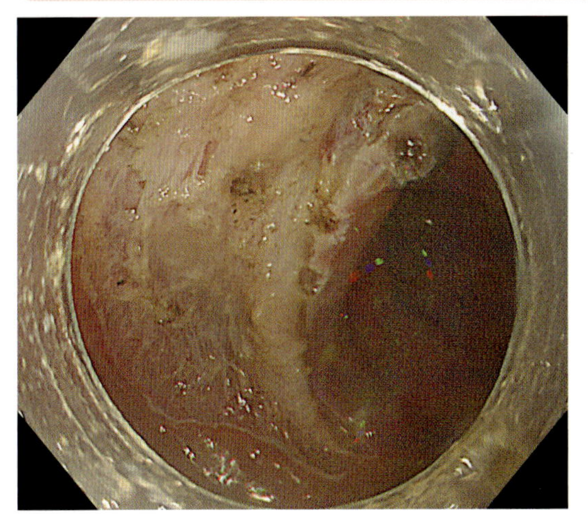
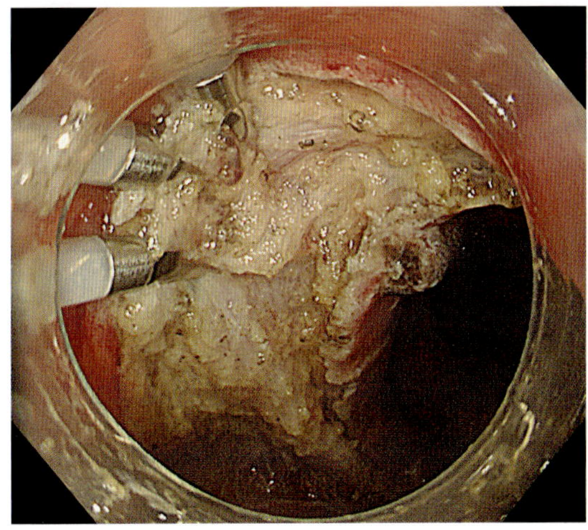

一部筋層損傷を来したためクリッピングして終了した。

切除標本

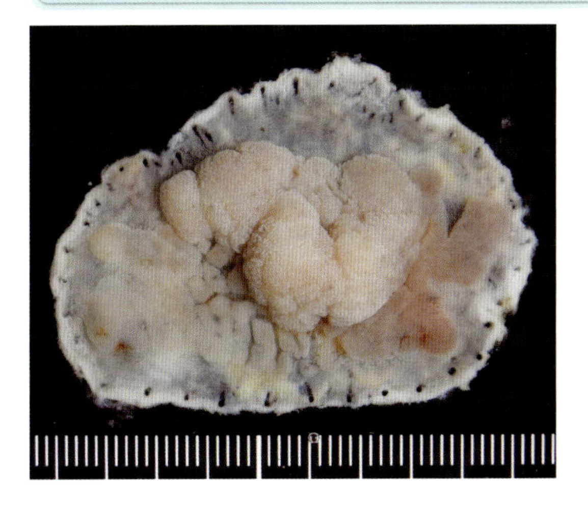
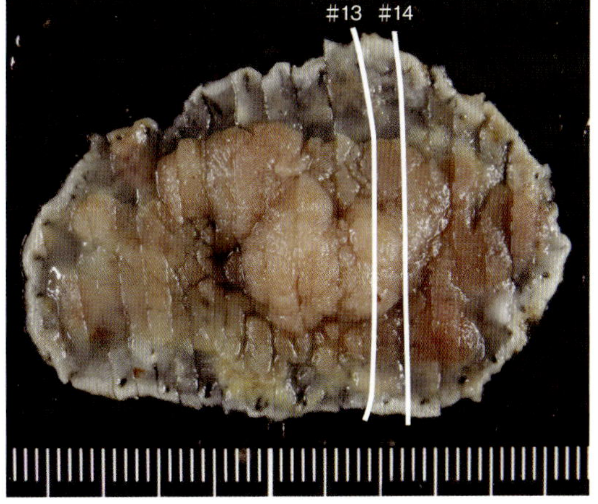

【組織所見】

切除標本の大きさ50×32mm，20切片を作製。管状絨毛構造を呈する腺腫をみるも，島嶼状に構造異型を伴って癌化像を示す。粘膜下への浸潤性増殖は認めない。

【組織診断】

Adenocarcinoma, transverse colon
LST-G，46×22mm, carcinoma（tub1）in adenoma, pTis，ly0，v0，pHM0（2mm），pVM0，EA

病理組織像

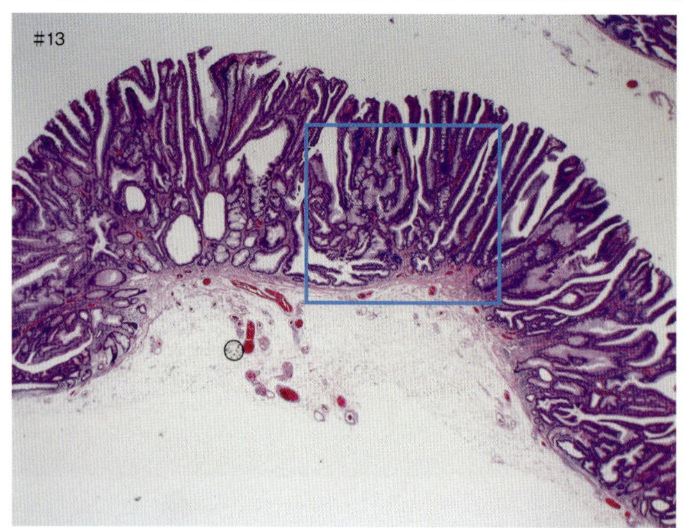

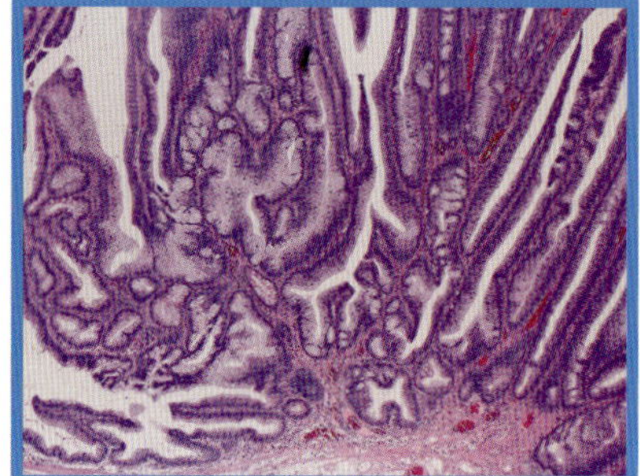

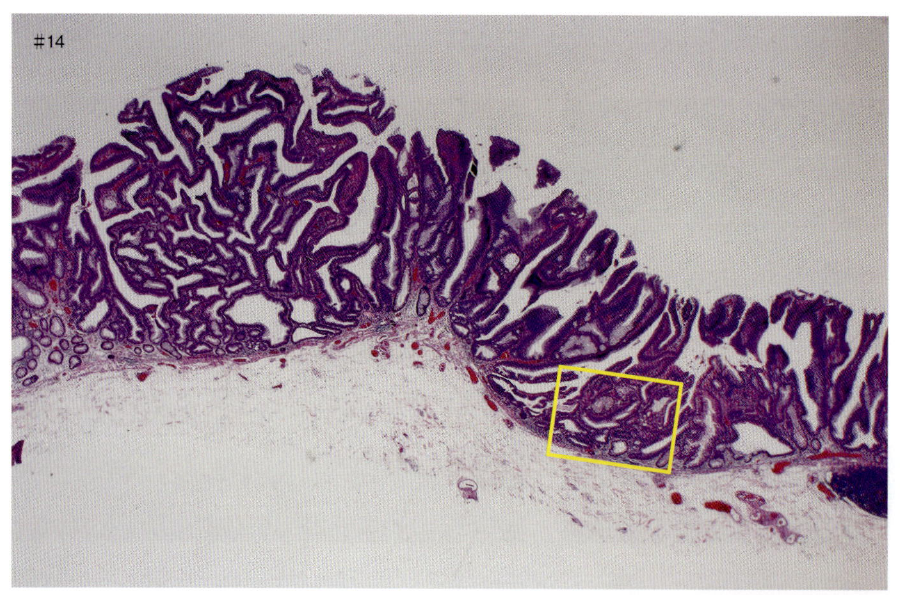

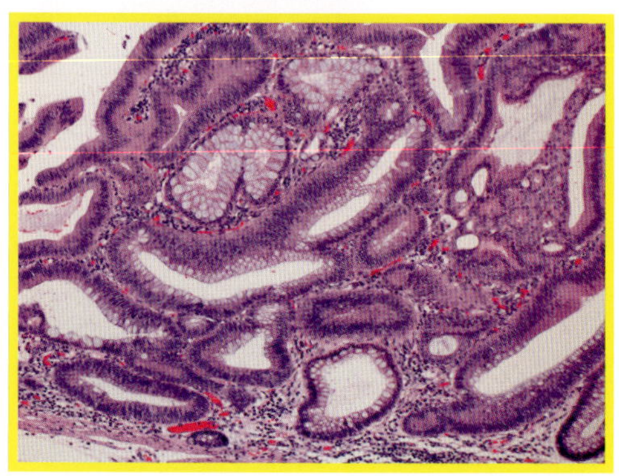

Early rectal cancer

LST-G (MIX), 50mm, Rb, Ant

Demonstrator …… Dr. **林　武雅**

白色光像

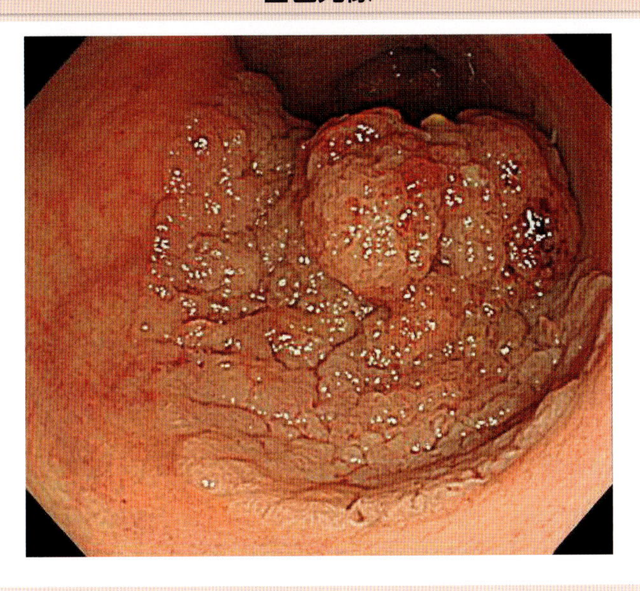

インジゴカルミン散布像

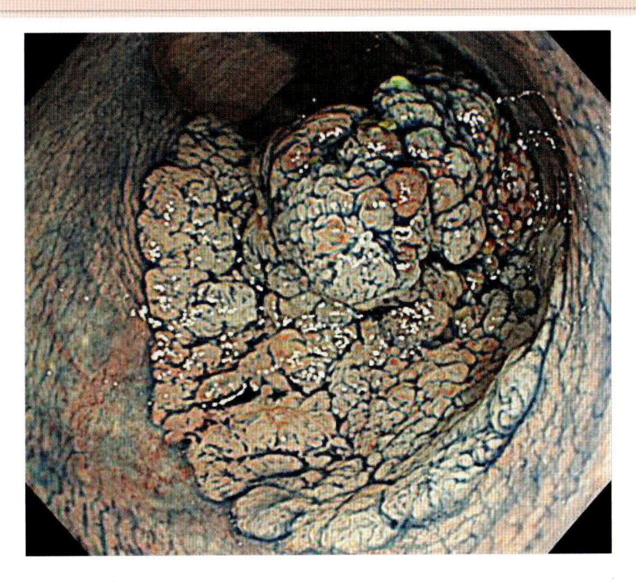

【症例】

60歳台女性。便潜血陽性の精査のため下部消化管内視鏡検査を施行したところ，直腸にLST-granular typeを認めた。

診断・治療を林が担当。診断では超拡大内視鏡Endocyto（エンドサイト）を用いた大腸におけるエンドサイト診断の手技，所見につき詳述した。治療はPocket Creation Method（PCM）を応用した林独自のBridge Formation Method（BFM）の手技を供覧しPCMとの相違点，BFMの有用性につき解説している。

精査時の内視鏡像

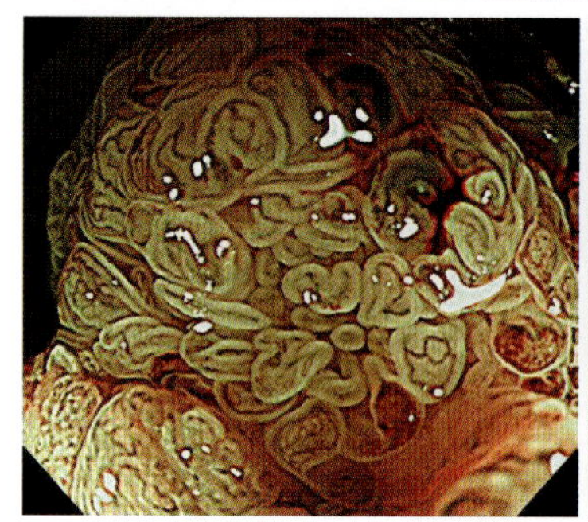
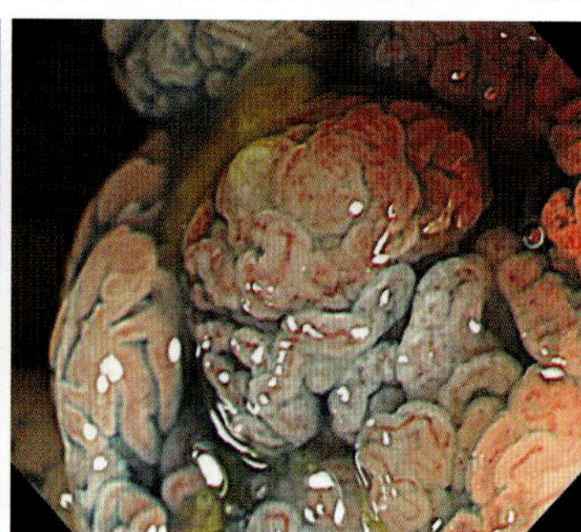
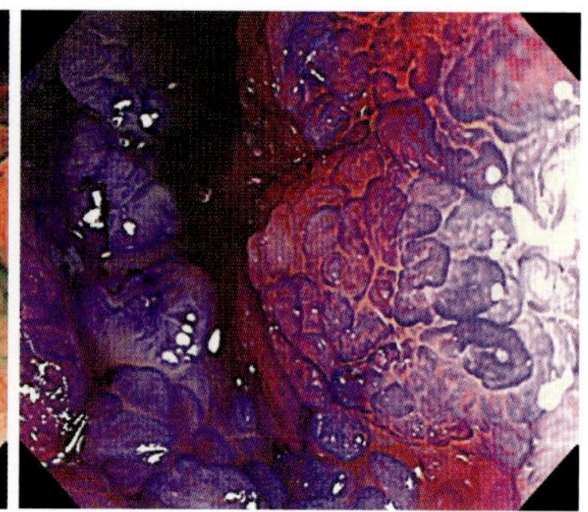

正常粘膜のエンドサイト像

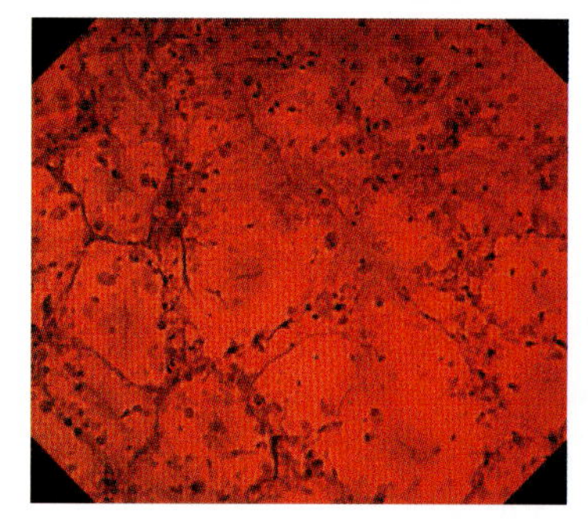

病変部のエンドサイト像

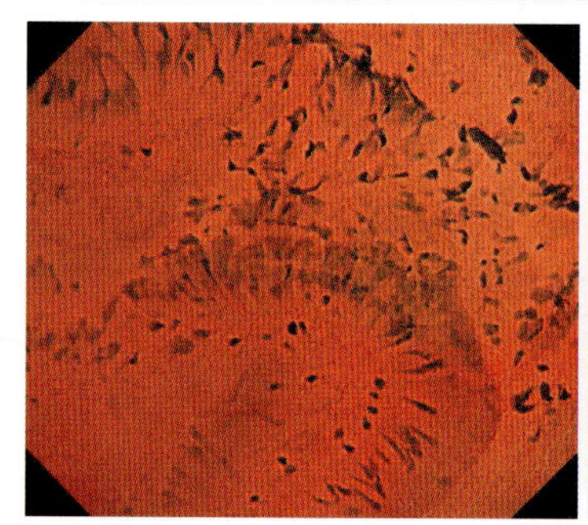
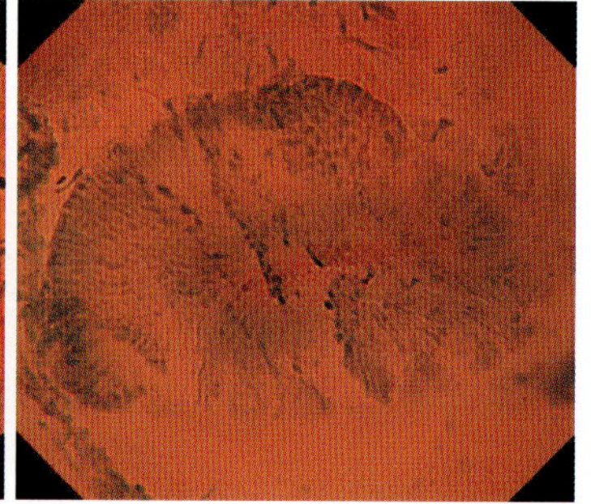

Bridge formation method による ESD

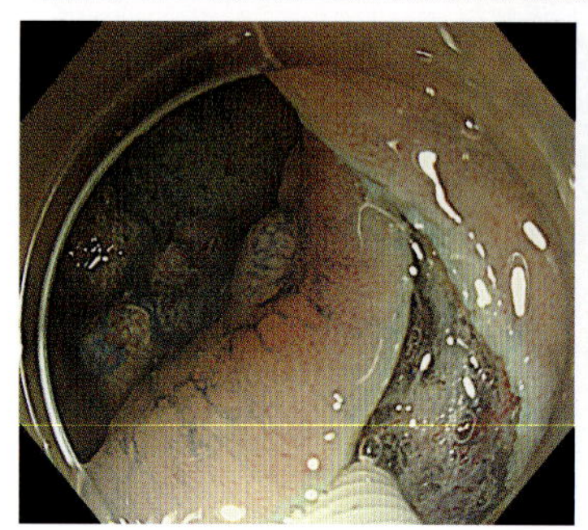
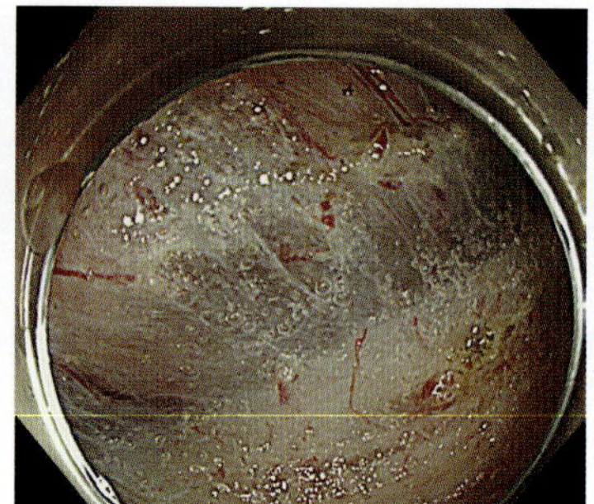
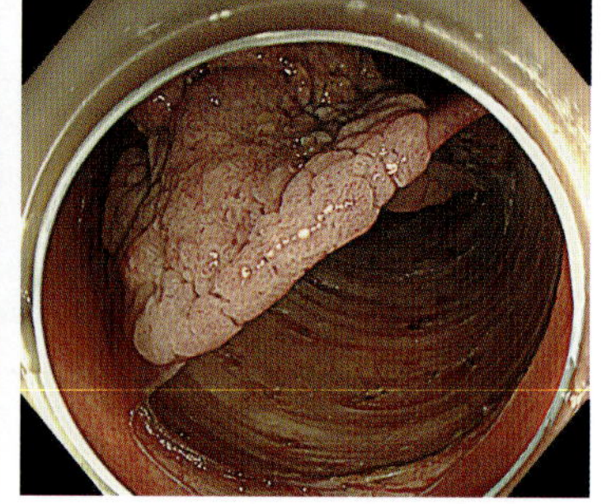

切除後の状態

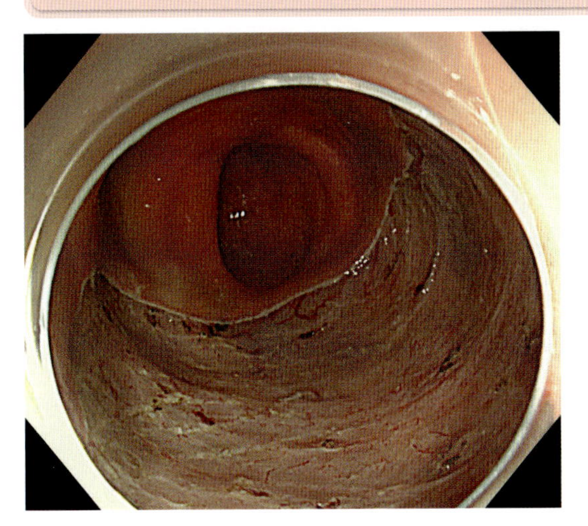

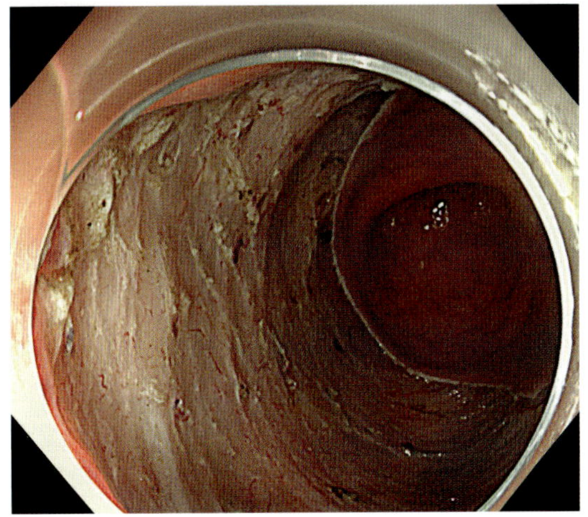

切除標本

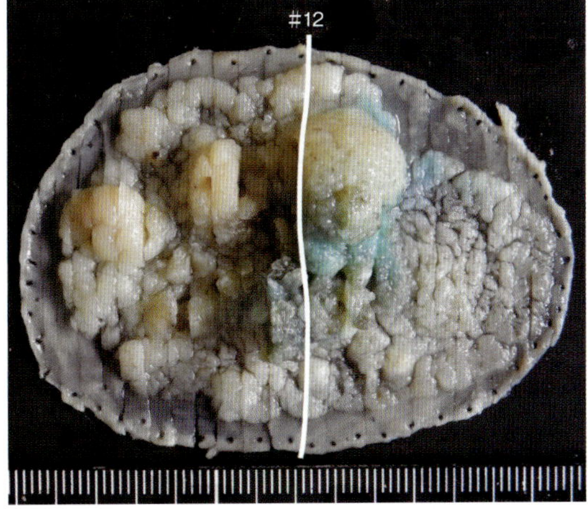

【組織所見】

切除標本の大きさ70×50mm，23切片を作製。63×45mm大のLST-G病変を見る。主に鋸歯状絨毛構造を呈する腺腫であるが，島嶼状に構造異型を伴って癌化像を示す。粘膜下への浸潤性増殖は認めない。

【組織診断】

Adenocarcinoma, rectum
LST-G，63×45mm, carcinoma (tub1) in adenoma，pTis，ly0，v0，pHM0 (2mm)，pVM0，EA

病理組織像

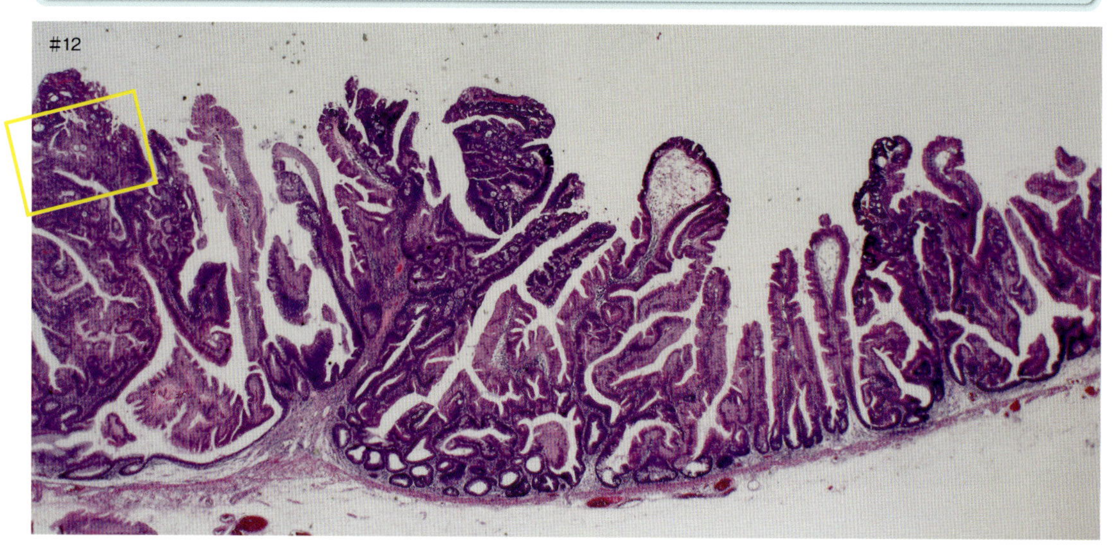

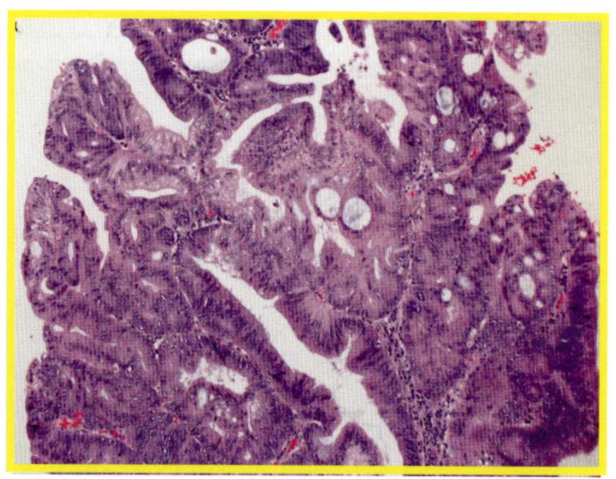

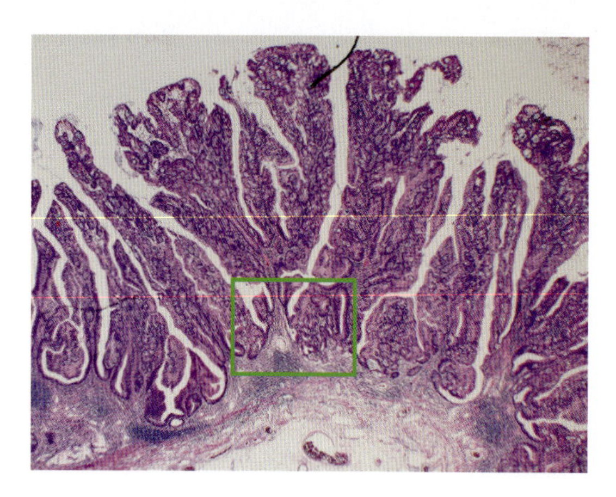

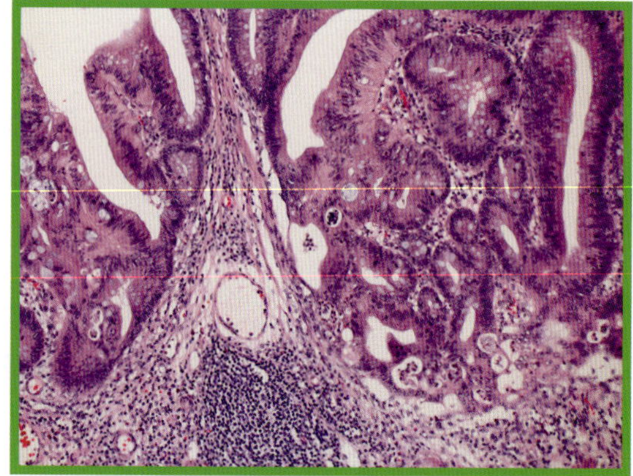

Early gastric cancer

0-IIc, 15mm, tub1, L, Less/Ant

Demonstrator —— Dr. 赤松拓司

白色光像

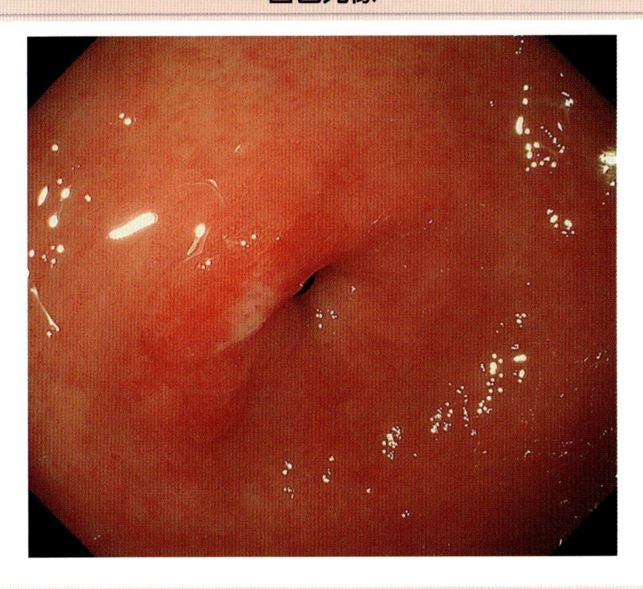

インジゴカルミン散布像

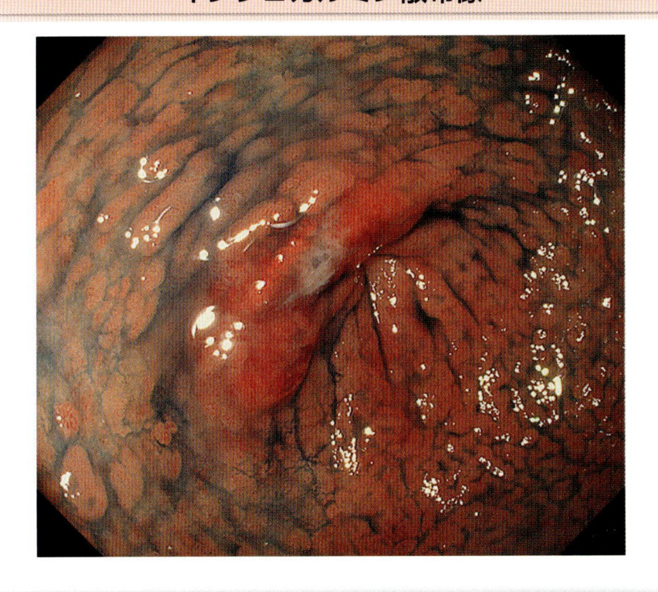

【症例】

50歳台男性，腹痛精査のため上部消化管内視鏡検査を施行したところ，幽門前部小弯前壁に0-IIc病変を認めた。生検結果は高分化型管状腺癌。
診断，治療を赤松が，コメンテーターを小山が担当。背景粘膜所見の系統的な解説と病変部の白色光，色素散布およびNBI拡大観察を詳細に提示した。治療は問題となる幽門輪側の切開から開始するストラテジーで，適宜Clip flap法，糸付きクリップを用いたトラクション法も併用し教育的な手技を供覧した。

精査時の内視鏡像

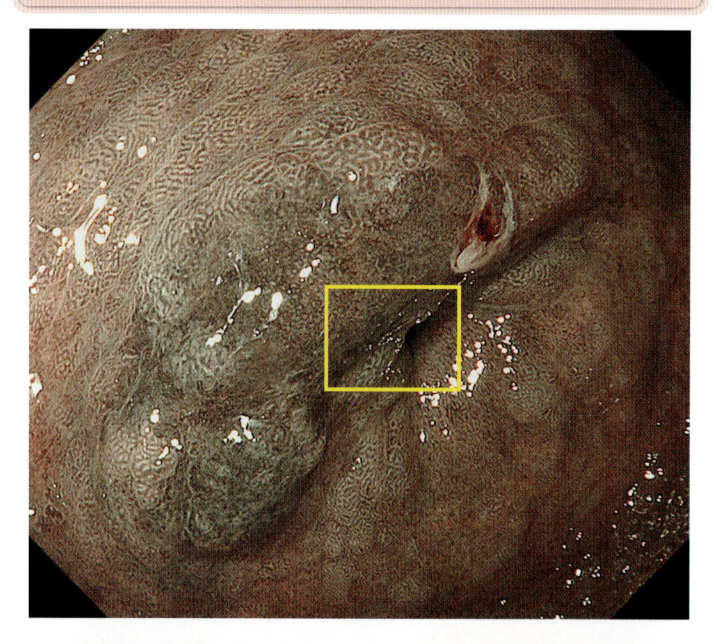

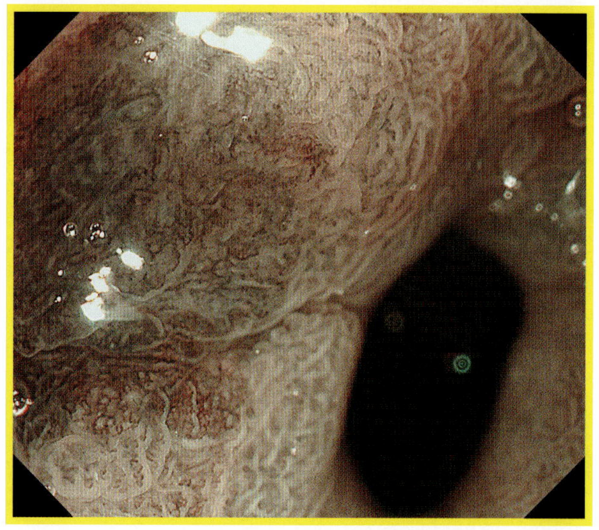

当日の内視鏡画像

マーキング後

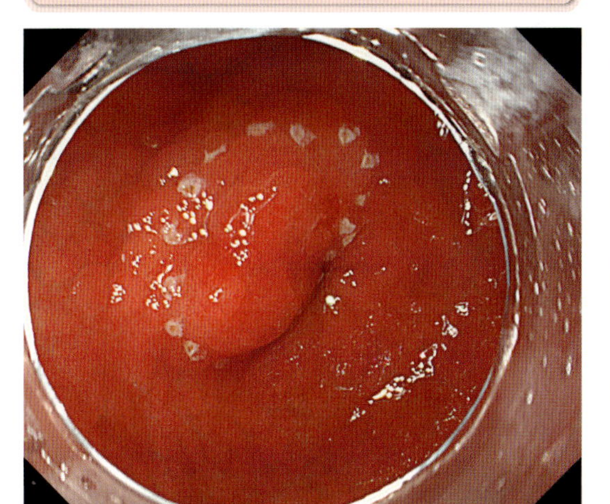

肛門側の粘膜切開

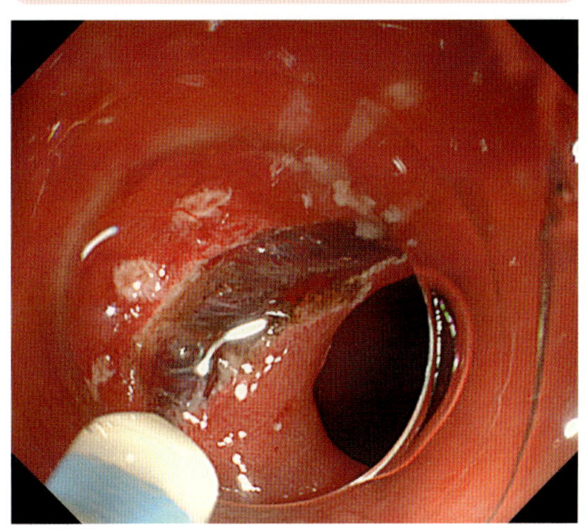

Clip flap 法

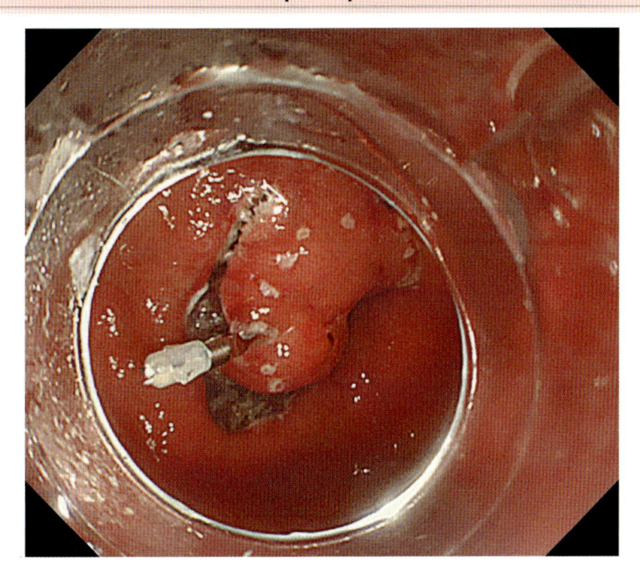

切除後の状態

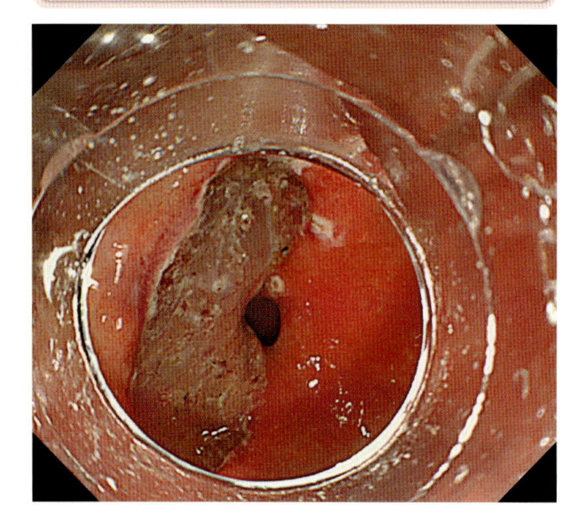

切除標本 ①

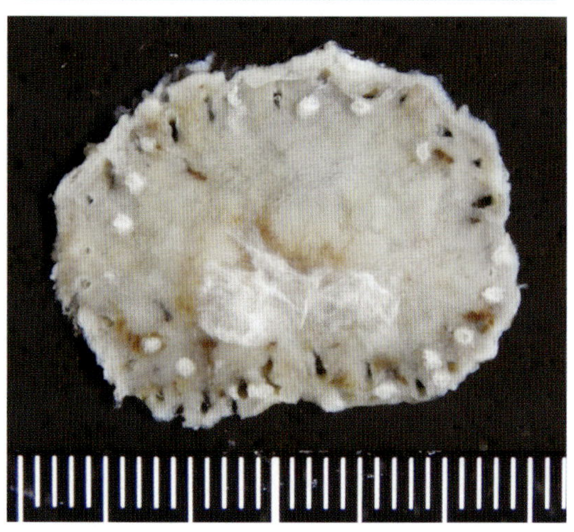

切除標本 ②

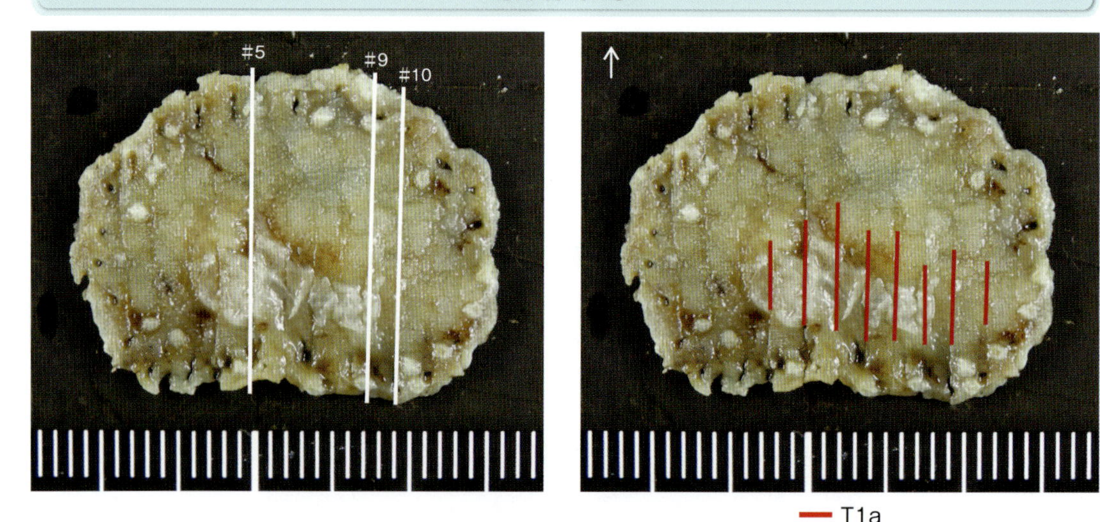

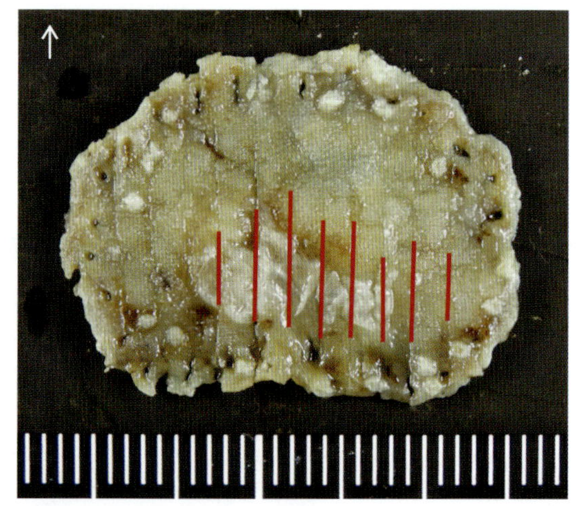

【組織所見】

切除標本の大きさ 27 × 20 mm，13 切片を作製。# 4 ～ # 11 において 17 × 8 mm 大の IIa + IIc 病変をみる。管状から一部櫛状，吻合腺管を形成する腫瘍細胞の増殖像をみる。粘膜下層への浸潤は認めない。

【組織診断】

Adenocarcinoma, stomach
IIc，17 × 8 mm，tub1 ＞ tub2，pT1a，PUL0，Ly0，V0，pHM0（3 mm），pVM0

病理組織像

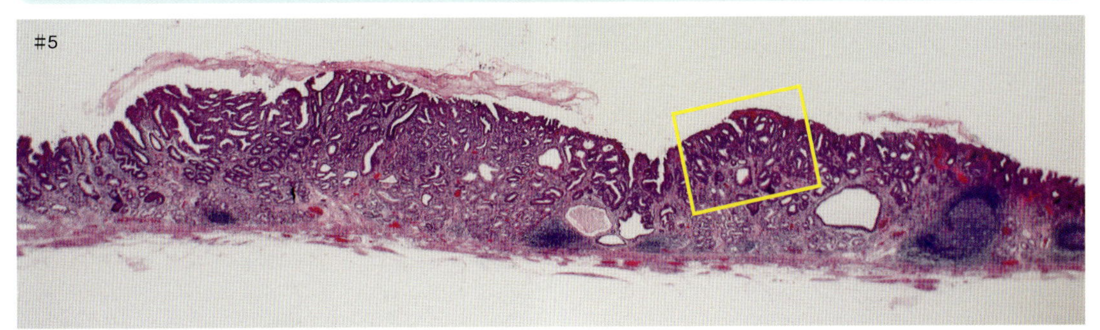

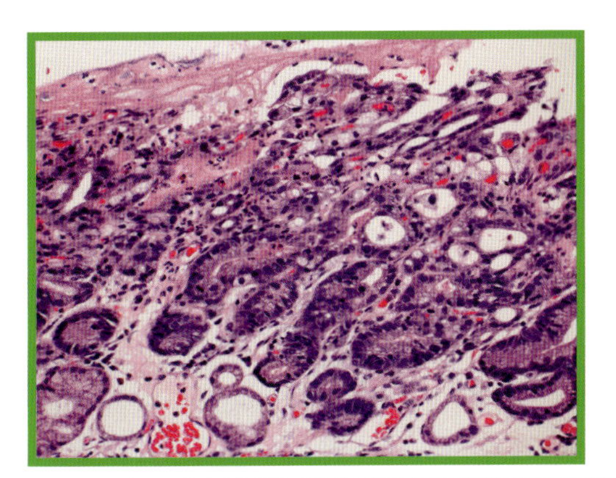

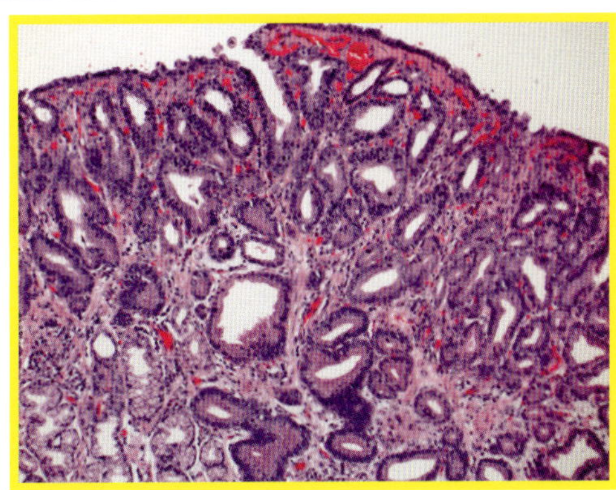

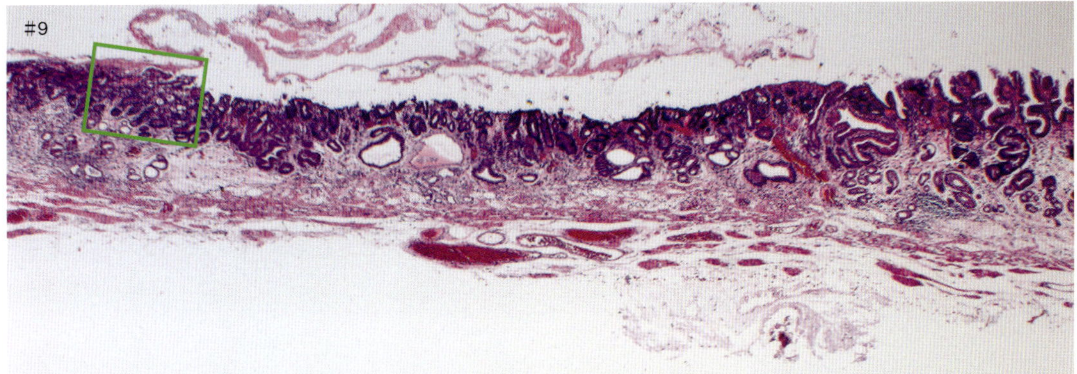

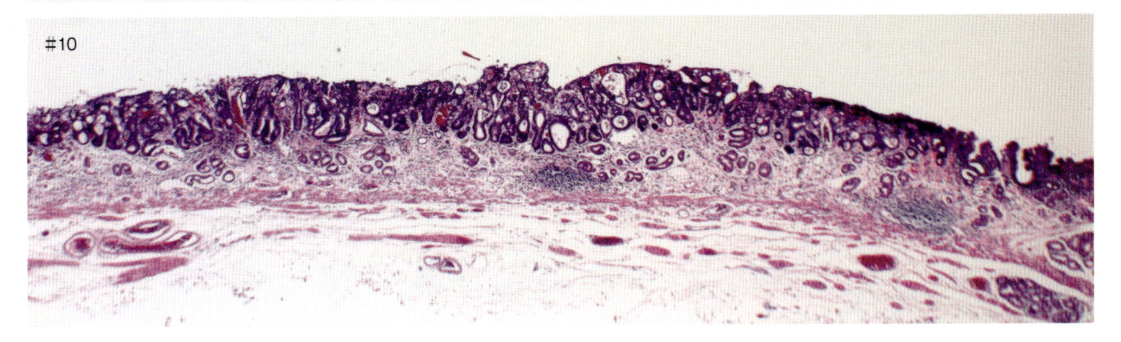

2018 Case 6

Early gastric cancer

0-IIc, U (+) , 30mm, M, Post

Demonstrator Dr. 平澤　大, Dr. 前田有紀, Dr. 豊永高史

白色光像

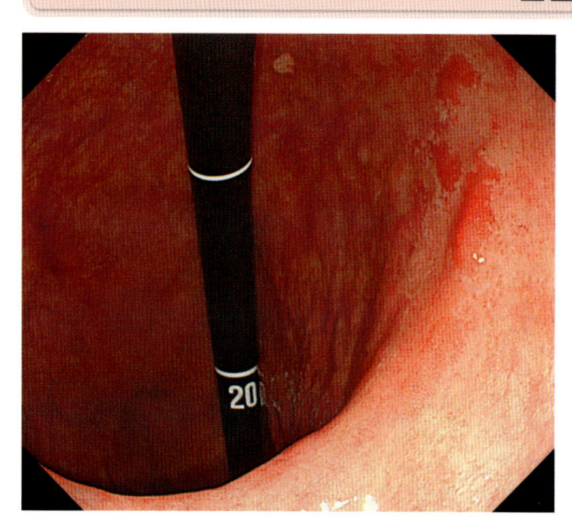

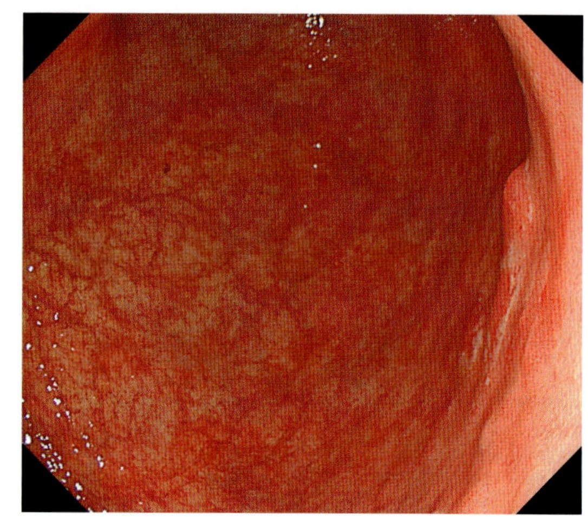

【症例】

70歳台男性。10年前にピロリ菌除菌。3年前に胃角部後壁の腫瘍性病変（腺腫の診断）を指摘され紹介受診。精査時に潰瘍を形成しており，PPI（proton pump inhibitor）投与後の再検で病変を同定できず生検もGroup 1であり経年フォローアップされていた。今回の生検で高分化型管状腺癌の所見を認めた。

診断を平澤が，EUSを前田が担当。低異型度癌、潰瘍（びらん）を繰り返している病変の特徴がよく捉えられた。EUSでは線維化よりむしろ太い血管が問題との意外な展開。治療は豊永が担当。最初のトリミングでいきなり出血する波乱含みの展開ながら，Pocket Creation Methodを適応し切開・トリミング時の出血を最小限に抑える手技を提示。後半ではEndoTracを用いたトラクション法を供覧。中継終了後の映像も収録した。

病変指摘時の内視鏡像

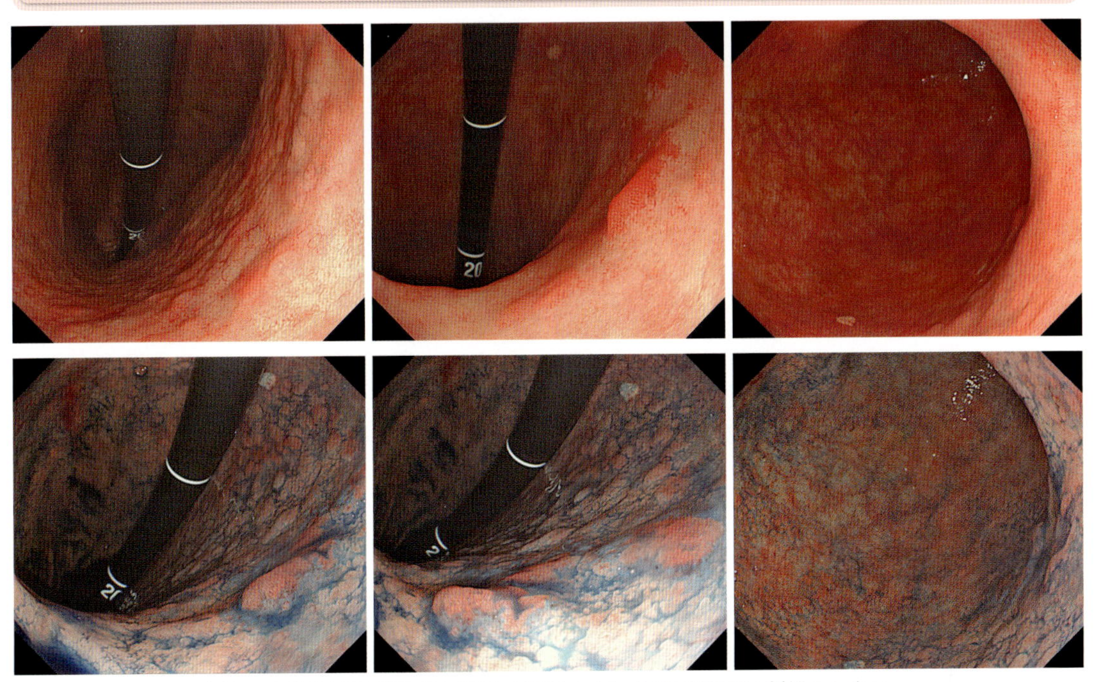

生検で高分化型管状腺癌の所見を認めたが，病変の範囲は判然としない。

3年前の内視鏡像

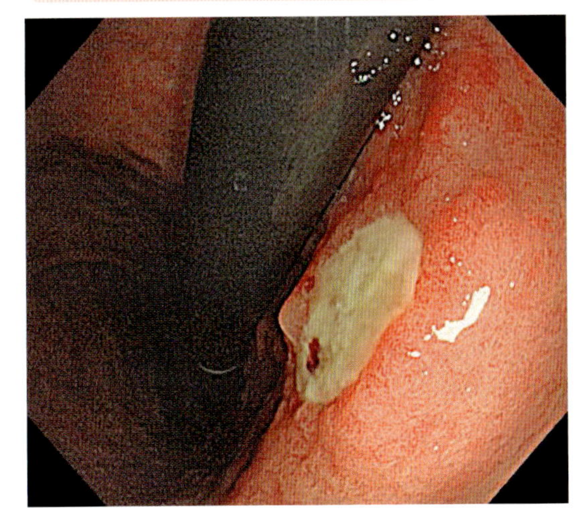

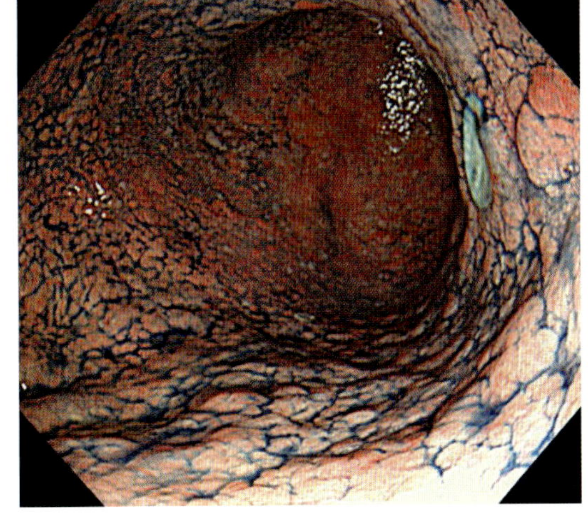

当日の内視鏡像

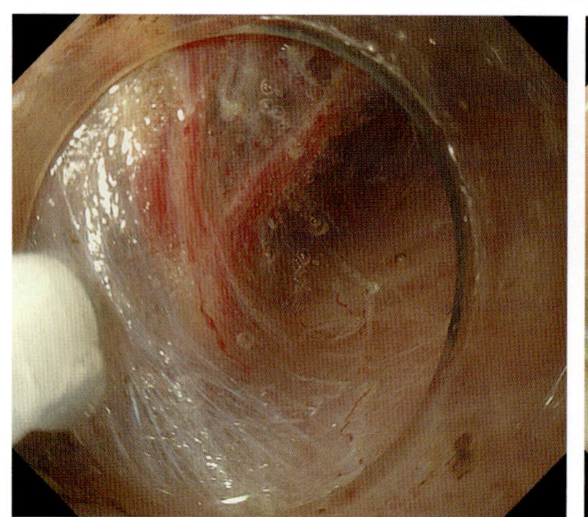
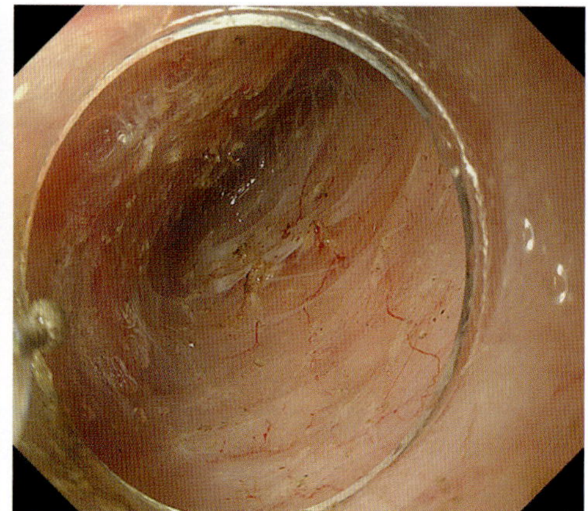

PCM法による血管の処理と剥離

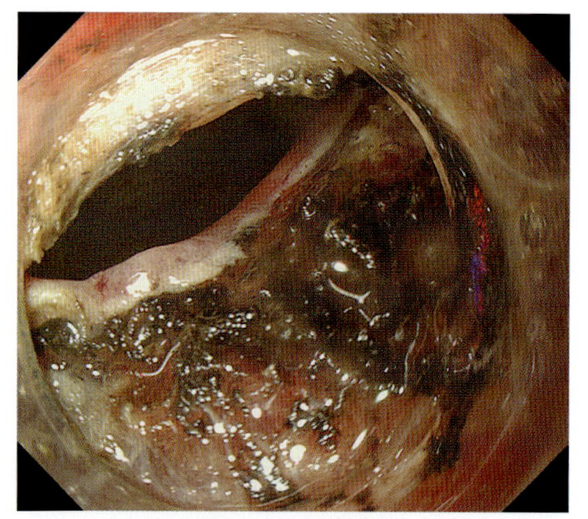

最初の出血による切開縁の血腫

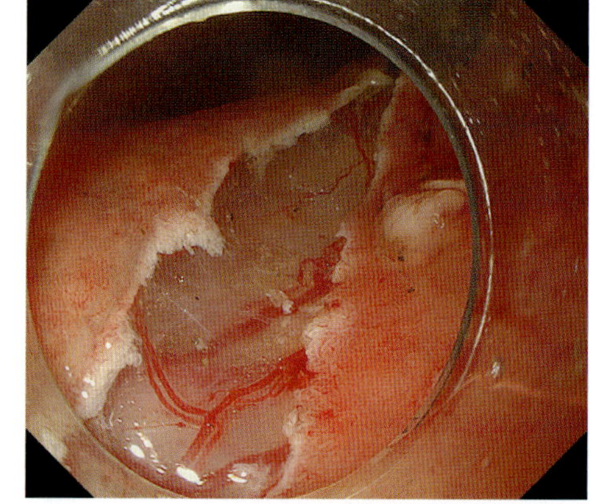

大弯側の切開

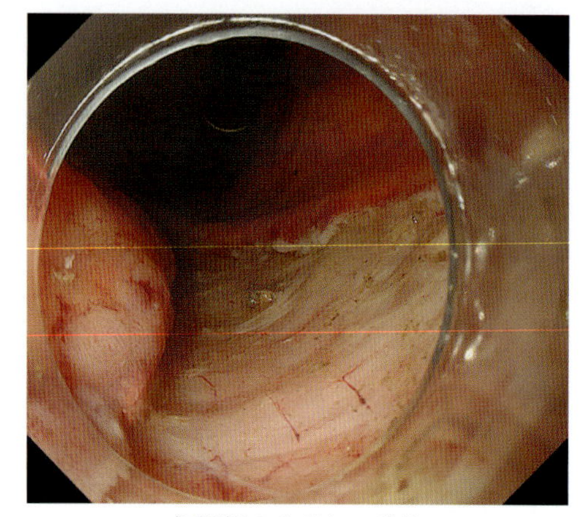

切開縁のトリミング後

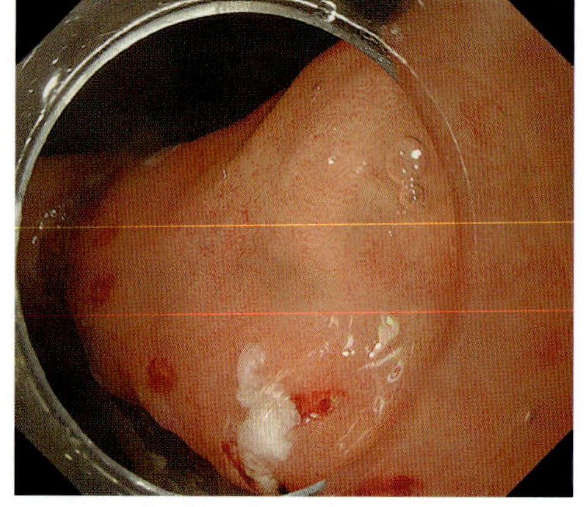

左記終了後の胃角部の状態

EndoTrac によるトラクション付加

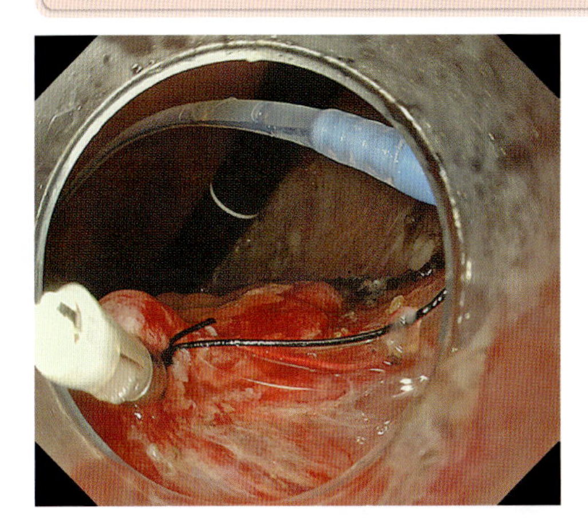

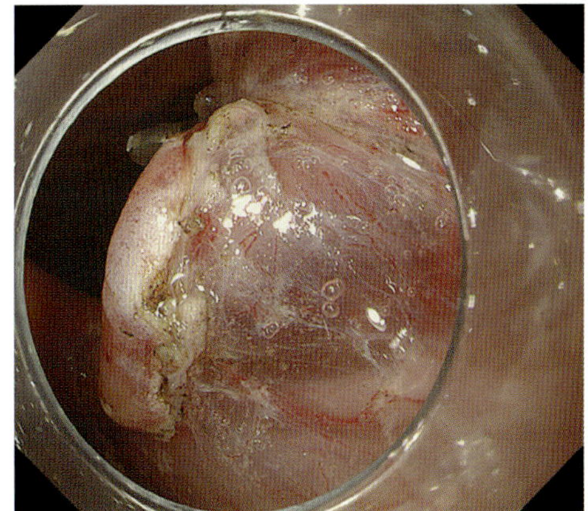

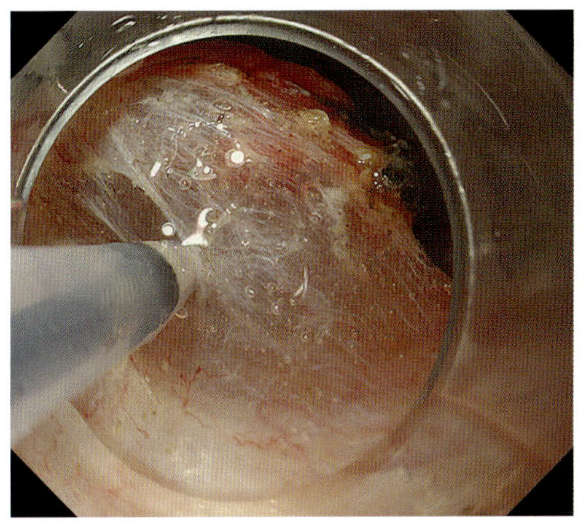

切除後の状態

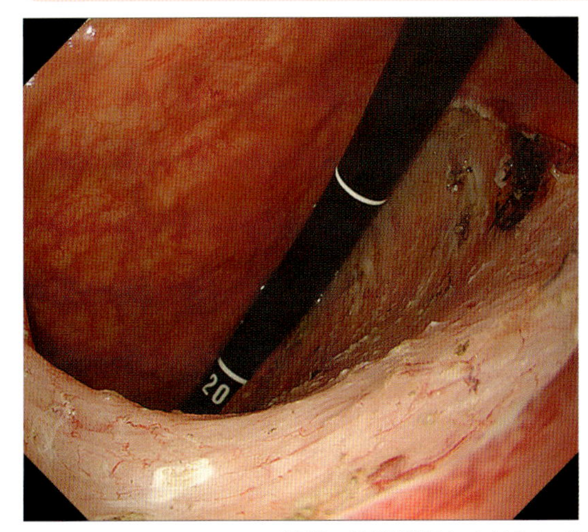

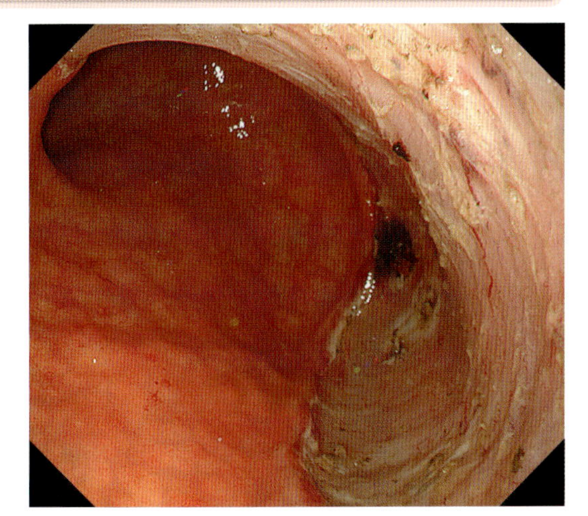

潰瘍の肛門側縁にトリミング時出血による血腫が認められる。

切除標本

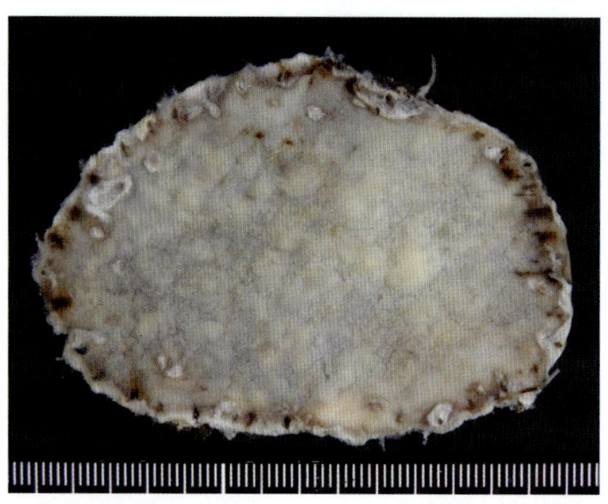

標本辺縁に止血に難渋した際の凝固の影響が認められる

【組織所見】

切除標本の大きさ74×50mm，32切片を作製。#7～#27において48×26mm大のIIc病変を認める。管状構造を呈する高分化な腫瘍細胞の増殖像をみる。粘膜下層への浸潤は認めない。

【組織診断】

Adenocarcinoma, stomach
IIc，48×26mm，tub1，pT1a，pUL0，Ly0，V0，pHM0（6mm），pVM0

病理組織像

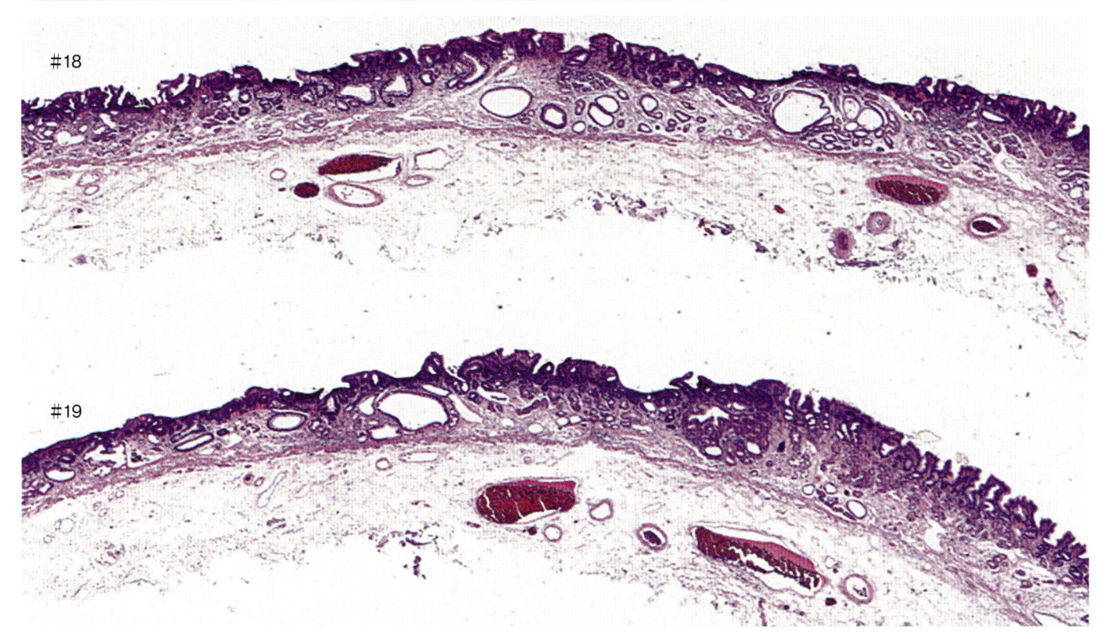

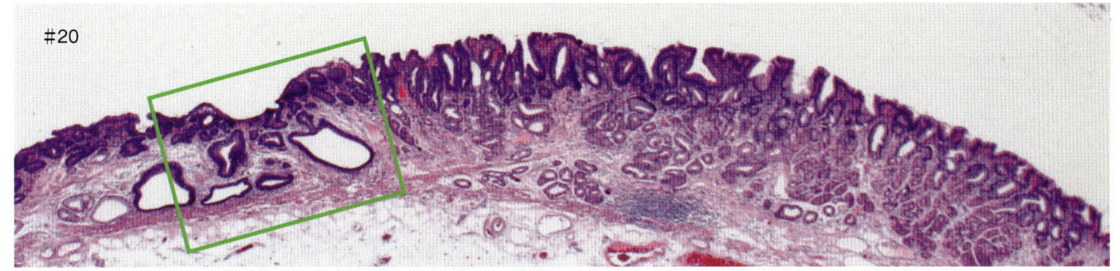

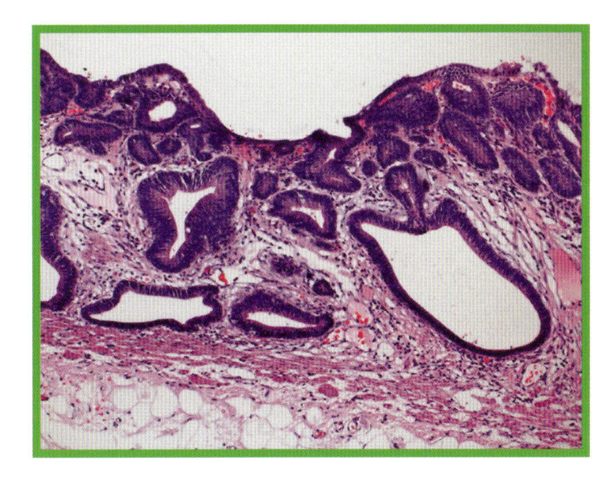

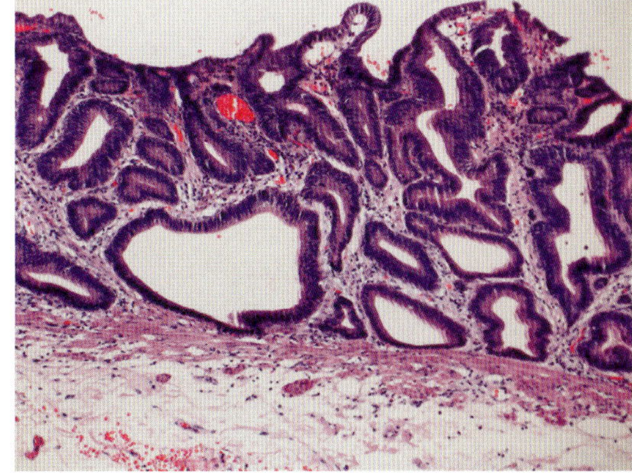

近畿Live Endoscopy 2017−2018［DVD付］

定価（本体14,000円＋税）

2020年 8 月 5 日　第 1 版第 1 刷発行

編　集　近畿内視鏡治療研究会

責任編集　豊永（とよなが） 高史（たかし）

発行者　福村　直樹

発行所　金原出版株式会社

〒113−0034　東京都文京区湯島2−31−14
電話　編集　(03) 3811-7162
　　　営業　(03) 3811-7184
FAX　(03) 3813-0288
振替口座　00120-4-151494
http://www.kanehara-shuppan.co.jp/

ISBN 978-4-307-20412-5

DVD制作・印刷・製本／東京電化株式会社
装丁・ブックデザイン／近藤久博（近藤企画）